KB111072

Un autre ailleurs

더 깊은 우주에서

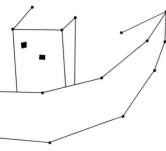

Un autre ailleurs

An-Bi

Traduit par Vinciane MACKE

 RIEN BOOKS

À Sarah

사라에게

Salut Vincent,

"J'aimerais que des extra-terrestres viennent sur Terre avec des grands containers pour emporter la moitié de l'humanité et l'expulser dans l'espace. Ils viendraient faire le ménage à grand renfort de balais et de ramasse-poussières. Les humains, raflés sur le tas puis triés sur le volet de sorte à bien égaliser les quotas d'enfants, de jeunes adultes, d'adultes plus mûrs et de personnes âgées, seraient ensuite jetés dans de vastes corbeilles et cette opération de déblayage serait réitérée tous les 500 ans pour débarrasser la planète de son surplus de population."

C'est ce que vous avez dit une fois.

On était dans une forêt, entouré d'arbres aux feuilles persistantes où les saisons se confondaient. Je m'étais perdu en chemin, vous marchiez près de moi me laissant seul, livré à moi-même. Mes pas produisaient des craquements doux sur le sol, chaque branche morte se brisait d'un coup sec sous mes pieds tac, tac, le son de quelqu'un qui toque timidement à la porte de la forêt. Le temps, tel un ami fidèle qui nous guidait du matin

안녕, 빈센트,

"외계인이 나를 것을 여러 대 들고 와, 지구의 인구를 반쯤 덜어 저 우주 어딘가로 옮겨주면 좋겠어. 한 손엔 커다란 빗자루를, 다른 손엔 쓰레받기를 들고서 대충 쓸어담는 거지. 몹시 공평하게 아이, 청년, 중년, 노인을 가릴 것도 없이 적당히 모아 커다란 바구니에 담은 뒤, 이 정도면 되었으니 한 500년 뒤에 다시 와보세, 하고는 훌훌 떠나는 거야."

언젠가 당신이 이런 말을 한 적이 있습니다.

계절도 잊게 하는 상록수가 빼곡히 들어앉은 숲이었습니다. 나는 길을 잃은 채로, 당신은 내가 길을 잃게 둔 채로 곁을 걷고 있었습니다. 발밑으로는 땅이 서걱거렸고 죽은 가지를 밟을 때마다 딱딱, 마치 숲의 문을 친밀하면서도 공손하게 두드리는 듯한 정갈한 소리가 났습니다. 시간은 믿을 수 있는 동지처럼 우리를 아침에서 정오로, 정오에서 오후로, 오후에서 노을이 지는 곳으로, 그곳에서부터 다시 푸르스름한 어둠이 피어나는 곳으로 다정하게

au midi, du midi jusqu'à l'après-midi, de l'après-midi jusqu'au coucher de soleil, là où fleurit l'obscurité bleutée.

J'ai bu vos paroles autant que j'ai pu car je savais qu'elles m'empêcheraient de m'égarer dans une quête de vérité où d'autres ne reviennent jamais. Vous sembliez avoir réponse à toutes mes questions.

Maintenant que j'y pense, tout cela avait beau être de la sophistique pure, il n'en reste pas moins que vous avez transformé cet être insignifiant que j'étais devenu en une personne qui compte vraiment. Au fond de moi, j'ai réalisé que ce petit bout d'âme qui a traversé mon adolescence à la vitesse d'une flèche est devenu à présent ce qu'il y a de plus précieux dans ma vie. Même s'il a fallu en payer le prix plus tard.

Oui. Après tout cela, je n'ai toujours pas le cœur à vous abandonner.

Pour en revenir au point de départ de cette lettre, je trouve que votre histoire incroyable de bombe humaine qui menace de faire exploser la Terre n'était pas une idée si saugrenue. C'est vrai que la population humaine est une espèce qui croît bien plus vite qu'elle ne le devrait. Je ne vous apprendrais rien si je vous disais que l'horloge démographique est totalement déréglée.

인도하고 있었습니다.

　나는 가능한 한 당신의 모든 말에 주의 깊게 귀 기울이며, 당신이 있어 나만큼은 진리를 찾아 헤맬 일이 없겠노라 생각했습니다. 당신은 모든 문제에 관한 모든 해답을 가진 듯했으니까요.

　이제 와 생각해보면 당신의 말들은 온통 궤변이 었지만, 비참할 정도로 평범했던 나의 존재를 기어이 특별한 것으로 만드는 데 성공한 것은 사실입니다. 물론, 거짓말과 재치와 기지를 총동원했기에 가능했던 일일 겁니다. 사춘기를 관통하던 작은 영혼이 자신을 특별한 존재로 인식하게 만든 것만큼 중요하고 또 고귀한 일은 없다고 생각합니다. 훗날 그 어떤 비싼 값을 치르게 되더라도 말이지요.

　맞습니다. 아무래도 나는 여전히 당신을 미워하는 마음을 가지지 못한 모양입니다.

　다시 이 편지의 본론으로 돌아와서, 단순히 지구에 지구인이 너무도 많이 불어났다는 것으로 시작된 그 허무맹랑한 이야기는, 전혀 이치에 맞지 않는 헛소리는 또 아니었습니다. 지구인이 불어나는 속도는 같은 인종이 사라지는 속도와 발을 맞출 마음이 전혀 없어 보이니까요. 아시다시피 순환의 체계

Vu que le paradis et l'enfer sont déjà pleins à craquer, il n'y a pas d'autre solution que d'entasser les humains sur Terre. Dieu, ou qui que ce soit d'autre, devra tôt ou tard prendre ce problème au sérieux.

En vous écoutant, j'ai imaginé un extra-terrestre à tête ovale et sans aucun cheveu surgir subitement d'une plaque d'égout.

Il possédait quatre jambes et quatre bras et était revêtu d'une combinaison moulante en latex. Le vert de ses yeux contrastait étrangement avec la couleur violacée de sa peau, cela me faisait penser aux algues en plein cœur de l'été qui flottent dans la mer tiède. Sa démarche se voulait solennelle comme pour pallier son allure excentrique.

"Vous êtes sur la liste des migrants de l'espace. Ayez l'obligeance de bien vouloir coopérer afin de faciliter la procédure de départ."

L'extra-terrestre, visiblement lassé de répéter la même rengaine sur un ton magistral, terminait de lire son *Guide de la Transition de l'Espace conformément à la Politique de Nettoyage planétaire pour une Vie durable* que je signais à contre-cœur pour devenir un "migrant" qu'on pouvait expulser au fin fond de l'espace.

"Attendez, je ne peux pas dire au revoir à ma famille et à mes amis ? Demain, je dois rembourser toutes

는 무너진 지 오래입니다. 천국이나 지옥의 정원이 꽉 차버려, 당분간은 지구에 인간을 북적북적 줄 세워두는 것 외에는 별다른 수가 없었을 것이라 짐작합니다. 신이 되었든 뭐가 되었든 누군가는 이 터무니없는 사태를 해결해야 할 것입니다.

나는 당신의 그 한마디에 발밑의 맨홀 뚜껑이 열리며 모발이라곤 한 가닥도 없는 달걀형 두상을 한 외계인이 불쑥 솟아나는 모습을 상상해보았습니다.

그것은 다리가 네 개, 팔이 네 개로, 몸에 꼭 맞는 정장을 입고 있습니다. 보라색 피부와 대비되는 녹색 눈은 미지근한 여름 바다를 떠다니는 해조류를 연상시킵니다. 그것은 괴상한 용모에 비해 상당히 정중한 태도로 나를 에스코트합니다.

"당신은 행성 이주자 리스트에 올랐습니다. 여행에 앞서 간단한 절차에 협조해 주시죠."

반복된 업무에 상당히 지쳐 보이는 외계인이 느리되 일정한 톤으로 양식을 줄줄 읽어내리길 끝내면, 나는 마지못해 그가 내민 '지속 가능한 지구별 정화 정책에 따른 우주 전환 안내서'에 서명을 하고는 지체 없이 먼 우주를 향해 '옮겨지게' 되는 겁니다.

mes dettes à la banque ! Et qui va s'occuper de la litière du chat ?"

En entendant mes lamentations, l'extra-terrestre hochait simplement la tête dans tous les sens comme pour chasser d'éventuels moucherons puis, reprenant la parole :

"Pas le temps. Dépêchez-vous d'avancer."

"Et Dieu dans tout ça, est-ce qu'il est au courant de mon départ au moins ?"

Il me regardait quelques instants circonspect. Puis ses yeux se remplissaient d'une sorte de commisération pour la créature pitoyable qui se tenait face à lui. Mais sa patience avait des limites, il me poussait vers l'entrée du vaisseau.

Finalement aucun de tous ces dieux n'était véritablement fiable. L'extra-terrestre se fichait pas mal de mes petites affaires sur Terre. J'aurais mieux fait de lui demander si la NASA avait été mise au courant de cet embarquement forcé. S'il avait dit oui peut-être aurais-je clamé une petite note de *Pansori* : "Mais oui, voyons, boum, mais c'est bien sûr, boum !"

C'est ainsi qu'était rayé le seul nom qui me rattachait à cette vie d'avant, et j'ai eu un pincement au cœur à l'idée de me voir disparaître comme la brume du début de printemps qui s'élevait peu à peu. Pen-

"하지만 가족과 친구들에게 인사도 하지 못했는데요. 내일은 통장에서 대출 이자가 빠져나가는 날이고요. 게다가 고양이 화장실도 치우지 못했단 말입니다."

나의 볼멘소리에 외계인은 머리에 하루살이라도 붙은 양 고개를 사방으로 휘저으며 이렇게 말할 뿐입니다.

"그럴 시간이 없어요. 서두르셔야 합니다."

"내가 믿는 신도 이 사태를 알고 있나요?"

그제야 그것은 나를 쳐다보며 잠시 침묵합니다. 그것의 두 동공엔 눈앞의 생명체를 한심하고도 안쓰럽게 여기는 마음이 그득 차오릅니다. 그러곤 이제 정말 더는 지체할 수 없다는 듯, 대기하고 있던 우주선에 내 머리를 밀어 넣습니다.

물론 내가 아는 신 중에는 믿어봄직한 신이 없습니다. 그냥 해본 소리에 불과한 것이죠. 차라리 미국 항공우주국NASA도 이 사태를 알고 있는지 묻는 것이 더 유익했을지 모릅니다. 긍정적인 대답을 듣는다면 '그럼 그렇지' 따위의 추임새를 넣으며 거드름이라도 피울 수 있지 않았겠습니까.

그렇게 그것의 리스트에서 한때 가장 친숙했던 이름이 지워지고, 그만 처음으로 나 자신을 불쌍히

dant que j'étais debout dans le vaisseau à contempler au hublot le monde d'en bas, mon enveloppe restait sur Terre, allongée au sol comme après une séance intense de yoga.

"Est-ce que les souvenirs de ma vie d'avant seront effacés ?"

L'extra-terrestre qui s'éloignait d'un pas pressé dans l'allée du vaisseau s'arrêtait net et se retournait vers moi. Son expression affichait maintenant une moue de dédain.

"Et comment pourrait-on faire une telle chose ?"

Entre temps, ma dépouille était recouverte d'un linceul blanc. Les choses se déroulaient comme si ma mort était devenue la cause de ma séparation d'avec ce monde. Plus tard, mon cadavre serait placé dans une petite boîte qu'on jetterait aux oubliettes. Le nom du défunt resterait gravé dans la roche et tous ceux qui le prononceraient laisseraient échapper quelques trémolos dans la voix. Ce court processus consistait à séparer de manière nette l'individu de sa vie dans le monde. On offrait aux vivants la chance de traverser encore bien des épreuves tandis qu'à ceux qui ont rendu l'âme, il leur incombait une liberté qui s'avérait devenue inutile.

여기고 싶어지는 마음이 이른 봄 아지랑이처럼 피어나는 것을 지켜봅니다. 우주선의 창가에 붙어선 채 아래를 내려다보면, 그곳엔 내가 입고 있던 껍질이 막 요가 수업을 끝내고 매트 위로 뻗어버린 육신처럼 반듯하게 누워있습니다.

"저곳에서의 기억을 지울 겁니까?"

부산스럽게 복도를 미끄러져 가던 그것이 다시 내게 눈길을 줍니다. 이제 그것의 얼굴에는 애처로움이 담겨 있습니다.

"우리가 무슨 능력으로 그런 일을 한단 말입니까."

그 사이 내 껍질 위로 누군가 흰 천을 덮어 두었습니다. 마치 죽음이라는 사건으로 인해 세상으로부터 영원히 격리되어버린 것만 같습니다. 머지않아 저 육신은 작은 상자에 담겨 긴긴 침묵의 늪에 빠지게 되겠지요. 주인을 잃은 이름엔 그 무엇으로도 씻을 수 없는 슬픔이 묻어 눈물을 짓지 않고는 차마 입에 올릴 수 없게 되고, 이 짧은 과정은 하나의 개인과 그것의 인생을 세상으로부터 깨끗하게 분리해, 남은 삶에는 시련을, 상실된 삶에는 용도 없는 자유를 선물할 것입니다.

Attendez, j'ai bien parlé de la mort, n'est-ce pas ?

Vous me manquez,

N.

잠깐, 내가 여기서 죽음이라는 단어를 썼던가요?

그리움을 담아,

N.

C'est mon vingt-troisième automne.

Si je devais vous décrire ce que je ressens à travers l'air d'aujourd'hui, je dirais qu'il ne fait pas assez froid pour regretter l'été qui n'est pas tout à fait terminé et que, malgré tout, on sent bien que l'automne est déjà là avec son lot de petites mesquineries. Je parle de cette période très courte où l'entre-deux-saisons est propice à vous embrouiller l'esprit. Les gens qui sortent ne savent plus comment s'habiller, on se rafraîchit la gorge d'eau fraîche et peu de temps après, il nous prend l'envie de boire un café bien chaud. Il y a un décalage de rythme entre le jour et la nuit qui se perçoit surtout entre ceux qui festoient jusqu'à tard autour de tables remplies de mets traditionnels propres à la saison et ceux qui restent chez eux à tourner en rond.

Il y a quelque temps, j'étais assis sur le quai de la rivière à regarder le soleil se coucher lentement lorsque je me suis dit que j'étais devenu un être pitoyable, car je n'avais personne à qui parler ou bien avec qui dîner.

Ce soir-là, si vous aviez été à mes côtés, vous auriez très certainement eu ces belles paroles :

어느덧 스물세 번째 가을입니다.

오늘의 공기로 말할 것 같으면 여름이 흘리고 간 잔해인 미지근한 온도가 하나의 미련처럼 떠돌고, 막 등장한 새 계절의 작지 않은 부피가 그 주변을 위협적으로 겉돌고 있습니다. 쉽사리 섞이지 못하는 두 작은 세월의 괴리는 교묘하게 마음을 어지럽히고, 사람들은 하루에도 몇 번씩 겉옷을 입었다 벗었다 하며 차가운 물과 뜨거운 커피를 번갈아 마십니다. 낮과 밤의 걸음에는 속도의 차이가 뚜렷하고, 누군가가 계절의 풍성한 식탁을 즐기는 동안 누군가는 빈방을 헤매는군요.

조금 전, 강둑에 앉아 눈앞으로 해가 슬그머니 저무는 걸 보고 있는데, 어쩐지 마감 시간이 임박한 레스토랑에 눈치 없이 앉아있는 구슬픈 존재가 된 것만 같은 기분이 들었지 뭡니까.

당신이 함께 있었다면 이리 말했겠지요.

"구슬픔을 노을 물에 헹군 다음, 구름 돛을 달아 저 멀리 실어 보내."

"Vous devriez essorer votre peine dans l'eau de ce magnifique coucher de soleil et la suspendre ensuite à la voilure immaculée du premier nuage qui passe."

J'aurais alors regardé dans le ciel se délayer mon propre chagrin. Des couleurs allant du rouge pourpre au bleu violacé auraient déteint sur tout l'horizon, telle la palette contrariée du jeune artiste furieux de ne pas avoir réussi à achever son tableau.

Ce même soir, à la vue de ce mélange chaotique de couleurs, je me serais senti inconsolable. Je vous aurais alors dit que cela me rappelait trop les ambiances infernales de fin de cours où tout le monde se bouscule pour être le premier sorti.

Les sorties de classe sont une réelle épreuve pour moi. Je me sens poussé vers l'extérieur alors que je ne sais pas où aller.

C'est la réalité. Ce qui m'a causé de la peine dans le passé me rend aujourd'hui mélancolique. D'ailleurs, je ne ressens rien d'autre que de la mélancolie en moi.

Je me demande bien où sont passés les autres pensionnaires, on est en fin d'après-midi et je suis seul. Dans ce lieu déserté, la végétation aux reflets bleus court entre la rocaille et lance des ombres inquiétantes dans toute la cour. Un petit oiseau perché sur un câble

나는 그 시각의 하늘을 보면 자꾸만 서글퍼집니다. 다홍색이나 보라색 따위가 얼떨결에 섞여버린 듯한 하늘. 마치 원만하게 마무리하지 못한 작업의 끝 무렵, 미술학도가 내팽개쳐버린 팔레트의 내부처럼 뒤죽박죽된 색의 하늘 말입니다.

그 기묘한 흐트러짐 때문인지, 이 시간엔 유난히 더 주의가 산만해지는 것 같습니다. 하교 준비를 하는 학생들로 한껏 어수선해진 늦은 낮의 교실 풍경을 닮았다고 해야 할까요.

그리고 그 번잡한 분위기가 유독 나를 서글프게 만듭니다. 갈 곳이 없는데도 자꾸만 등을 떠밀리는 것 같기 때문입니다.

맞습니다. 조금 전만 해도 구슬픔이었던 것이 지금은 서글픔이 되었어요. 아무래도 요즘 내 감정의 폭은 그 정도가 아닐까 싶습니다.

다들 무얼 하고 다니는지, 늦은 오후의 하숙집에는 학생들이라곤 거의 보이지 않습니다. 사람의 기척이 사라진 이곳에는, 마당에 박힌 큼지막한 돌 사이로 솟아난 이름을 알 수 없는 야청빛 풀잎들이 그림자를 드러내고, 집 앞 골목을 지나는 전신주에 앉은 작은 새가 무어라 신호를 보냅니다. 저 너머의

électrique piaille avant de survoler la ruelle. Le soleil, éreinté de sa journée, se laisse choir sans force dans son grand lit d'ouest, bradant ses derniers rayons du jour aux quatre coins de ma chambre.

Et moi, je me tiens là, debout, au milieu de toutes ces scènes de vie auxquelles je me sens totalement étranger.

Une fois rentré dans ma chambre au premier étage, je reste des heures planqué derrière la fenêtre à observer le gamin d'en face qui fait du vélo à quatre roues devant le portail d'entrée. Pendant tout ce temps, j'hésite entre sortir prendre une bière à deux sous, écouter une émission à la radio ou bien ouvrir un bouquin. Toutes ces activités requièrent un certain temps et les jours d'été qui ensoleillaient ma chambre n'ont plus cours.

J'ai déjà avalé mon assiette de spaghettis. (J'écris cela au cas où vous vous préoccupez toujours ce que je suis en train de faire). Ce soir, j'ai accompagné mes spaghettis avec quelques sardines, du fromage et un peu de jus de citron. J'aurais bien aimé avoir des légumes frais comme du céleri à la place du fromage. Et d'ailleurs, je n'aurais pas dû ajouter ces sardines à l'huile. En fait, j'ai pris ce que j'ai trouvé dans le fri-

공간으로 맥없이 쓸려가던 해는 집 안 구석구석, 하루의 남은 볕을 떨이 판매처럼 흩뿌리곤 합니다.

그리고 여전히 세상과 데면데면한 내가 그 모든 장면을 방관하고 서 있습니다.

귀가 후 나는 앞집 꼬마가 보조 바퀴를 단 자전거를 타고 열린 대문 사이를 기웃거리는 모습을 2층 창을 통해 내려다보며, 아주 긴긴 시간 동안 아무것도 하지 않습니다. 그 시간만큼은 싸구려 맥주를 마시지도, 라디오의 주파수를 맞추지도, 책을 뒤적거리지도 않지요. 그런 것들은 자칫하면 노쇠한 볕을 더 빨리 달아나게 할 뿐이니 말입니다.

이른 저녁으론 스파게티를 먹었습니다. (당신이 여전히 나의 모든 일상을 알고 싶어 한다는 기대 하에 씁니다) 도톰한 스파게티 면을 삶아 통조림 속 정어리와 치즈를 넣고 레몬즙을 곁들였습니다. 치즈 대신에 산뜻한 제철 산나물이나, 셀러리를 넣었어도 좋았겠습니다. 아예 정어리 자체를 넣지 않았으면 더 좋았을 것 같습니다. 하지만 도무지 냉장고의 공용 칸에서도 개인 칸에서도 쓸만할 걸 찾을 수가 없었기에, 대충 있는 것들을 짝 맞추어 먹었습니다. 어쩐 일인지 포크마저 찾을 수가 없어서 나무젓가락을 든 채

go, il n'y avait rien de très appétissant ni dans le bac commun de provisions ni dans les compartiments individuels. De plus, je n'ai pas réussi à trouver de fourchette alors j'ai pris des baguettes en bois et j'ai mangé debout dans l'angle de la cuisine, là où la fenêtre donne sur l'extérieur.

Généralement, l'un des propriétaires, tantôt l'homme, tantôt la femme (la personne qui est disponible ce jour-là), passe une fois par semaine remplir le frigo et chaque étudiant prend strictement ce dont il a besoin pour préparer ses repas. Comme le dernier passage remonte à la semaine dernière, les vivres ont largement diminué mais personne ne s'en est plaint.

La plupart des étudiants qui vivent ici se comportent déjà comme des adultes responsables, je crois qu'il n'y a jamais eu de vol de marchandises ou de personne qui s'accapare la nourriture, et personne n'a jamais eu non plus à payer injustement sa part. L'organisation du midi se passe généralement bien, la vaisselle ne s'empile pas dans l'évier et chacun prend soin de nettoyer derrière lui. En fait, l'organisation de notre pension sort assez de l'ordinaire, les choses se déroulent entre elles de manière complètement fluide comme dans un système où tout est automatisé.

Je crois qu'on appelle cette mécanique intrinsèque

부엌 한쪽에 서서 창밖을 내다보며 식사를 했습니다.

보통은 주인아주머니나 아저씨가 (별다른 규칙 없이, 덜 바쁜 사람이) 매주 한 번 정도 방문하여 식자재를 채워주면, 개인이 필요한 만큼을 덜어다 각자 요리를 할 때 사용합니다. 지금은 그들이 다녀간 지 일주일이 다 되어가는 탓에 남아있는 게 별로 없지만, 누구도 불평 따윈 하지 않습니다.

이곳엔 대부분의 학생이 나이에 비해 독립성이 뛰어난 편이라, 남이 해 먹고 남은 요리가 도난당하는 일도, 누군가 지나치게 많은 양의 식자재를 사용하는 일도, 그렇다고 누군가가 사비를 들여 참신한 재료를 추가해놓는 일도 여간해선 잘 일어나지 않습니다. 부엌은 대체로 잘 정돈되어 있고 설거짓거리가 쌓여 있거나, 식탁에 음식 찌꺼기가 묻어있는 일도 없습니다. 무척이나 아날로그한 시스템인데도 모든 것이 자동화된 그 어떤 프로세스보다 더 군더더기 없이 흘러갑니다.

이걸 독립성으로 두리뭉실하게 표현할 수 있는 건지는 잘 모르겠습니다. 다만 확실히 선線은 넉넉하게 보호받고 있습니다. 아무도 그 얇은 벽을 넘나들지 않고, 그것에 가까이 다가가지 않습니다. 그 누구도 이렇다 할 노력을 하지 않는 관계란 생각보

aux humains « l'autonomie de groupe ». Mais ici, le phénomène est encore plus probant, les limites à ne pas dépasser sont élevées au rang de sanctuaires.

Personne n'ose s'en approcher ni traverser ces murs invisibles qui séparent les individus. Et vous imaginez bien qu'une relation où personne n'a besoin de faire le moindre effort est plutôt agréable à vivre. Nous vivons ainsi tous ensemble sans vraiment vivre. C'est un beau cadre. Mais comment font les proprios pour arriver à dénicher des étudiants aussi accommodants ? Il est étrange que des gens qui n'aiment pas se parler se retrouvent ainsi réunis dans le même espace de vie.

À l'heure où je vous écris, je me trouve dans la buanderie en train de faire une tournée de linge. Les couleurs des vêtements fusionnent à toute vitesse, balancées par le tambour de la machine qui vrombit tellement fort que j'ai l'impression que tout le système est sur le point de se court-circuiter. Moi aussi, après avoir passé ma vie à accumuler des cris et des larmes, j'aimerais hurler comme une machine qui n'en peut plus.

Le chat qui est parti faire son petit tour dans le village est de retour. Je vais devoir le nourrir avant d'étendre le linge. Il aura les sardines que j'ai mises de côté exprès pour lui.

다 쾌적한 환경을 만듭니다.

우리는 이렇듯 공생하나 공생하지 않음으로써 공생하고 있습니다. 정말이지 아름다운 풍경이 아닐 수 없습니다. 주인 내외가 비슷한 사람을 잘 골라내는 특별한 능력을 지닌 걸까요? 정말 신기하게도 마치 세상과 접촉 방지 센서가 달린 것만 같은 사람들이, 이 작은 건물을 공유하며 살아가고 있는 겁니다.

지금은 세탁실에서 빨래가 돌아가는 동안 당신에게 편지를 쓰고 있습니다. 온갖 색이 혼합된 빨래 더미가 걷잡을 수 없는 속도로 휘감기고 있고, 기계는 당장 폭발하더라도 놀라지 않을 만한 비명과 함께 신나게 덜컹거리는 중입니다. 나도 살면서 한 번쯤은 저렇게 대놓고 성가시고, 요란하고, 그냥 플러그를 뽑아버렸으면 싶을 정도로 미친 척 날뛰어본다면 어떨까 하는 생각을 해봅니다.

마침 마실을 나갔던 고양이가 돌아왔습니다. 빨래를 널기 전에 저 녀석에게 저녁밥을 먹여야겠습니다. 혹시 몰라 정어리를 조금 남겨두었거든요.

자, 이제 당신도 기웃거릴 만한 다른 곳을 찾아보는 게 좋겠습니다.

Alors ce qui serait bien maintenant, c'est que vous trouviez un nouvel endroit à scruter.

Vincent, qu'est-ce que cela vous fait de vivre entre deux mondes ? Là où vous êtes, voyez-vous toujours cette saison remplie de tristesse ?

Dans ce cas, faites-en une belle aquarelle en trempant vos pinceaux dans l'eau de la rivière.

De tout mon cœur,

N.

빈센트, 세상과 세상이 아닌 곳 사이에서 서성이는 기분은 어떤가요. 그곳에도 마음을 흩트리는 계절이 존재하나요?

그곳의 강물도 노을을 물감 삼아 수채화를 그리냐는 말입니다.

사랑을 담아,

N.

À mon Vincent,

Cela fait déjà plusieurs années que j'ai quitté ma ville natale et que je ne vous ai pas revu.

Il y a des choses qui me manquent plus que d'autres : la forêt près du village qui était un refuge pour les jours maussades et les temps brumeux, les longues promenades faites avec vous, tout ce temps qu'on a perdu ensemble, toutes ces choses qui ne sont malheureusement plus à ma portée.

Concernant mes parents, ils vont bien. (Je vous préviens, tout ce qui va suivre ne va pas forcément vous plaire alors je ne vous en voudrai pas si vous déchirez cette page).

Mes parents viennent souvent me rendre visite à la pension. La maison de mon grand-père est à une demi-heure de route d'ici.

Cela fait déjà plusieurs week-ends que mes parents m'emmènent là-bas pour partager des moments ensemble. Une fois arrivé, je vais pêcher à la réserve ou puiser de l'eau de source près du temple avec mon père. Il m'arrive aussi d'accompagner ma mère lorsqu'elle part cueillir des plantes sauvages sur la col-

빈센트에게,

고향을 방문하지 않은 지도 어느덧 여러 해가 흘렀습니다. 당신을 보지 못한지도 여러 해가 지났습니다.

모든 게 그리우면서도 또 아주 그립지는 않습니다. 세상이 흐려 보일 만큼 나른하던 낮에 피난처가 돼주었던 교외의 숲도, 당신과 함께 했던 끝없던 유람도, 그 안에서 유실된 시간도, 나는 여전히 그것들을 어떻게 매만져야 할지 알지 못합니다.

부모님은 잘 지냅니다. (이어지는 내용은 당신이 궁금해 할 것이라는 가정하에 적는 것으로, 내키지 않는다면 찢어버려도 괜찮습니다. 겨우 그런 일로 당신을 원망하지는 않겠습니다)

그들은 자주 이곳에 올라와 나를 보고 갑니다. 여기서 차로 반 시간 거리에 할아버지가 살고 있거든요.

할아버지 댁에서는 벌써 여러 번의 주말을 공유했습니다. 그곳에서 아버지와 저수지 낚시를 하기도 하고 절에 가서 약수를 떠 오기도 합니다. 가끔

line derrière la maison. Je ne fais que lui servir d'assistant, d'ailleurs, je n'ai toujours pas goûté au thé qu'elle prépare à partir de ces plantes sauvages. Tant qu'un sanglier ne pointe pas le bout de son nez, je préfère m'en tenir strictement au rôle d'apprenti cueilleur.

Au fil des saisons, nous ramassons l'armoise, le chardon et plus tard, le chrysanthème. Par moments, j'ai l'impression que le temps ne m'a jamais lâché la main et que tout est redevenu comme avant.

Bien sûr, vous vous doutez bien que tout ceci n'est que faux-semblants. Je continue à vivre reclus dans ma chambre sans aucun contact avec l'extérieur. Mes parents se servent des propriétaires pour gérer ma vie. Ils paient mes études, mon logement, je n'ai rien à leur reprocher. C'est une sorte de contrat qu'on a passé entre nous : ils me laissent tranquille, je fais ce qu'il me plaît, et en échange, ma barque reste accrochée à leur embarcadère.

Aucun navire ne reste à quai sans raison valable me direz-vous, tôt ou tard, tous prennent le large et ce, sans jamais se retourner. Une fois perdus en pleine mer, loin du bercail, certains se brisent en deux dans la tempête, d'autres sont emportés par une lame de fond et entraînés dans les abysses, quelques uns réus-

어머니를 따라 집 뒷산으로 올라가 야생화를 꺾는 일도 있지요. 차를 만들기 위해서지만 아직 맛을 본 적은 없습니다. 멧돼지가 나오기 전까지 내가 맡은 역할은 그저 그림자만큼 가까이서 움직이는 인간 바구니일 뿐이니까요.

계절이 만든 길을 따라 쑥, 엉겅퀴, 국화 등을 따고 있으면 아주 드물게, 시간의 손을 맞잡고 옳은 방향으로 걷고 있을지도 모른다는 기분이 들기도 합니다.

물론 죄다 거짓말입니다. 나는 그 누구와 어떤 연락도 주고받지 않은 채 생활하고 있습니다. 내 가족은 하숙집 주인을 통해 나의 생사를 확인하는 듯합니다. 그들이 학비와 숙박비를 대고 있기에 딱히 이의를 제기하지는 않습니다. 일종의 평화 협정으로, 나는 나를 마음 놓고 유기할 수 있게 되었고 그들은 내가 탄 배를 그들의 선착장에 조금 더 묶어둘 수 있게 된 셈입니다.

배가 마음을 먹는다면 먼바다를 항해하지 못할 이유는 없습니다. 배는 뒤도 돌아보지 않고 정겨운 고향을 떠났다가 풍랑을 만나 두 동강이 난다거나, 소용돌이에 빠져 심연으로 사라져 버린다거나, 그

sissent tant bien que mal à rejoindre une terre déserte située à des distances inconsolables, mais entre-temps, la cale a pris l'eau, le moteur a lâché et la voile s'est totalement déchirée, ceux-là ne sont plus que de vulgaires épaves.

La mer aura beau caresser leur coque pour les encourager à repartir, ils ne repartiront pas. Elle pourra toujours essayer de les secouer en leur jetant de l'eau fraîche puisée sous le clair de lune que cela ne les fera pas rouvrir les yeux. Finalement, je me dis que je suis bien mieux à rester seul à quai.

Comme vous le savez, l'existence ne peut pas se satisfaire à elle seule. Un navire continuellement adossé à son ponton ne présente aucun intérêt, le jour où il disparaîtra, personne ne versera de larmes.

Vous savez, Vincent, si ma famille décidait un jour de me parler ouvertement, je ne le prendrais pas mal. Mais la vérité est qu'elle n'ose pas. Je suis resté à leurs yeux quelqu'un de mentalement fragile et la moindre contrariété pourrait me nuire.

Je ne suis pas si faible que ça mais juste terriblement indifférent. C'est quelque chose que vous savez déjà. Cela fait un bon moment que j'essaie de maintenir ce statu quo avec mes parents. Et vous savez combien il

것도 아니면 슬프도록 먼 불모지의 선착장에 무사
히 도착할 수도 있겠지만, 배는 오랫동안 자신을 돌
보지 않아 바닥엔 물이 새고 엔진은 고장 났으며 돛
은 찢어진 채입니다.

배의 살갗을 어루만지는 다정한 어머니 같은 파
도의 손길도 배를 깨우기엔 역부족입니다. 밤바다
가 따뜻한 달빛을 퍼다 배에 들이붓는대도, 배는 더
욱 깊은 잠에 빠질 뿐입니다. 배는 그저 선착장에
오롯이 존재하는 것에 최선을 다합니다.

아시다시피, 존재가 존재하는 것만으로는 그 누
구도 만족시킬 수 없는 법입니다. 언젠가는 다들 그
곳에 배가 한 척 있었다는 사실조차 잊을 것이고,
배가 잊힌 자리엔 흔한 슬픔조차 고여있지 않겠지
요.

빈센트, 사실 내 가족이 내게 직접 연락을 한대도
그로 인해 내가 슬퍼지는 일은 없을 겁니다. 하지만
그들은 엄두를 내지 못합니다. 그들은 아마 내가 너
무나도 연약해서 나를 나의 이름으로 부르는 것만
으로도 바스러지고 말 것이라 생각하는 것 같거든
요.

나는 연약한 게 아니라 지독히 무관심한 것일 뿐

m'est difficile de me tenir en équilibre sur un fil. Je dois rester debout, les bras en épouvantail pour ne pas basculer d'un côté ou de l'autre et garder cette position jusqu'à trouver une forme de stabilité.

Toutes ces choses sont arrivées bien après que vous soyez sorti de ma vie. Qu'est-ce cela vous fait de les entendre ? Vous m'en voulez ?

Pour vous donner une idée plus précise de ce que je ressens en ce moment, je vais vous parler de mon enfance, c'est quelque chose qui me manque. Mon enfance a été un moment important dans ma vie et même si depuis, beaucoup de choses se sont volatilisées, j'en ai gardé des marques.

Il ne me reste plus beaucoup de temps avant de m'envoler de mes propres ailes. Je dois réfléchir sur ce que je veux faire plus tard. En tout cas, je ne me suis pas démené dans le but de devenir un people pleaser.

D'ailleurs, n'est-ce pas vous qui m'avez mis en garde contre cela ?

"Ne cherchez pas à plaire aux autres, vous n'y parviendrez pas. Même à moi, qui ne vous ai jamais rien demandé, vous ne pourriez pas me satisfaire. Et c'est tant mieux de ne pas avoir besoin d'utiliser les autres pour sa propre satisfaction. Votre finalité n'est pas

이지만, 그걸 굳이 상기시킬 필요는 없어 보입니다. 이 균형을 맞추기 위해 오래도록 저울질을 해왔으니 말입니다. 그리고 아시다시피 저울질은 보기보다 피곤한 일입니다. 양팔을 허수아비처럼 벌리고 서서 균형점을 발견할 때까지 한없이 비틀거려야만 하니까요.

이 모든 건 당신이 사라지고 난 후 일어난 일련의 사건입니다. 어떤가요. 일말의 책임을 느끼나요?

그리움에 대해 좀 덧붙이자면, 모든 유년기가 그리움을 자아내고 있습니다. 강렬한 감정이긴 하나, 그 대상은 자국만 남긴 채 증발해버린 지 오래입니다.

봄까지 많은 시간이 남지 않았다는 걸 부쩍 실감합니다. 졸업 후에 무얼 해야 좋을지 곧 결정을 내려야 할 것 같습니다. 그게 뭐가 되었든 남을 기쁘게 하거나 안심시키기 위한 일은 아닐 겁니다.

그러고 보니 피플 플리저people-pleaser가 되지 말라던 건 당신의 지시가 아니었던가요?

"너는 아무도 만족시킬 수 없어. 심지어 네게 바라는 게 아무것도 없는 나마저도, 너는 결코 만족시킬 수 없지. 다행히도, 개인의 궁극적 용도가 타인

de plaire aux autres et encore moins de devenir leur objet de satisfaction. Ça paraît simple à dire mais le but de la vie est de trouver sa propre utilité par l'accomplissement de soi-même. Et après, il faut prendre pleinement ses responsabilités. Je pense que c'est ce qu'il y a de plus fondamental dans une vie. Il n'y a pas que moi dans l'univers, l'étoile que vous chérissez aujourd'hui s'éteindra un jour, vous devrez à ce moment-là continuer à briller par vous-même. La Lune ne tourne pas autour de la Terre juste pour lui plaire. Même si elle ne peut pas se défaire de l'attraction de la Terre, elle se moque bien de lui plaire. Chaque étoile a pour mission d'être reconnue comme étant unique en son genre. Quand bien même seriez-vous l'étoile la plus triste du ciel, il n'en reste pas moins qu'on doit vous voir. N'essayez en aucun cas de devenir un people pleaser".

Mes souvenirs de vous sont restés tels quels.

N.

의 만족은 아니야. 하나의 인격은 그런 식으로 소모되어서는 안 되고 소모될 수도 없어. 따분한 이야기지만, 자아의 실현을 통해 개인의 용도를 찾아 나가는 것. 그리고 그에 따르는 삶의 무게를 겸허히 받아들이는 것. 나는 세상에 중요한 일은 그뿐이라고 생각해. 저 밖엔 우주가 있고, 네가 가장 사랑한 별은 지고 없지만, 너는 계속하여 존재하길 마음먹었어. 저 달은 지구를 기쁘게 하기 위해 그 주위를 하릴없이 맴도는 게 아니야. 설령 달이 지구가 없이는 존재할 수 없다고 해도 달은 그를 기쁘게 하는 것엔 토끼 똥만큼도 관심이 없다고. 존재 자체로 인정받는 것은 모든 별의 권리이자 사명이야. 네가 슬픈 별이면, 너는 슬픈 별로 인정받으면 그만이라고. 그러니 우리, 최소한 피플 플리저가 되지는 말자고."

당신에 대한 기억은 여전히 너무나 선명하군요.

N.

Vincent,

Après dîné, j'ai été faire de la marche à pied près des quais où se trouve un circuit de promenade. J'ai dû m'arrêter pour reprendre mon souffle devant l'entrée de la pension mais me voici de nouveau terré dans ma chambre.

En ce moment, que ce soit le matin ou bien le soir, la promenade est tout le temps fréquentée. C'est le seul endroit où tout le quartier peut venir se promener, il n'y a pas d'autre choix.

Pour éviter la bousculade, les rondes se font à sens unique. Cette règle de conduite s'impose machinalement à tous les promeneurs. Cela m'énerve. Au début, je marchais dans le sens inverse tout en prenant soin de m'écarter pour éviter les collisions. Puis j'ai vite changé d'avis en voyant la mine patibulaire des gens que je croisais. J'ai finalement réintégré la file des somnambules sans demander mon reste. Tout le quartier tourne désormais dans le même sens. Plus aucune peluche ne cherche à s'extraire de la grande force centrifuge.

빈센트,

저녁 식사 후 긴 산책에서 돌아오는 길이에요. 강을 끼고 산책로를 여러 바퀴 돌았습니다. 정문 앞에 선 채 바깥에서 들이마신 모든 공기를 토해낸 뒤, 나의 연약한 구덩이로 입성했지요.

요즘 들어 자주 찾는 그 산책로에는 아침저녁으로 많은 사람이 원을 만들어 걷습니다. 그만큼 자유롭게 한숨 돌리며 돌아다닐 곳이 없어졌다는 뜻이 아닐까 싶습니다.

산책로에는 대부분 걷는 방향이 있습니다. 아무래도 편리를 위해 암묵적으로 정해놓은 것일 텝니다. 그 고요한 규율을 보고 있자면 마음이 꽤 불편해집니다. 처음에는 가능한 한 방해가 되지 않는 범주에서 원의 반대 방향으로 걸었습니다. 그러면 표정이 없는 무수한 사람들과 마주친다는 것을 깨달은 뒤부터는 다시 표정 없는 행렬에 몸을 끼웠지만 말입니다. 내가 사는 도시는 그런 곳입니다. 보풀이 일다가도 모체가 가차 없이 일어난 보풀을 흡수해 버립니다.

Sinon, aujourd'hui, je suis aussi tombé sur le chat de gouttière qui s'est incrusté chez nous.

Personne ne sait d'où il vient. On dit qu'il est venu un jour par hasard au foyer et que depuis, il a élu domicile.

Il dort dans la buanderie et mange dans la cuisine comme un vrai pensionnaire. Il arrive qu'il ne se montre pas pendant quelques jours mais il revient toujours s'allonger au même endroit pour s'endormir. Personne ne lui a donné de nom. Lorsqu'il a faim, il s'approche de nous d'un air farouche et ne se laisse pas caresser.

Il y a toujours quelqu'un pour lui acheter des croquettes et lorsque le paquet est vide, il est tout de suite remplacé par un nouveau. Vu que le type de croquettes change constamment, j'en déduis que les pensionnaires s'occupent de lui à tour de rôle. Sinon je ne vois pas qui d'autres lui ferait la charité, certainement pas les propriétaires.

L'existence du chat est une sorte de sous-produit de "nous" et la responsabilité de s'en occuper en incombe donc à tous. C'est un parasite qui s'est introduit dans la sphère privée de "nous", chacun est amené à lui accorder la même part d'attention. Les propriétaires pourraient quand même s'assurer de savoir qui met

참, 산책 중에 우연히 하숙집에 기생하고 있는 고양이를 만났습니다.

아무도 이 고양이가 어디에서 왔는지 알지 못합니다. 고양이는 어느 날부터 입주를 약속한 것처럼 그곳에 들어와 살기 시작했다고 합니다.

고양이는 세탁실에서 자고, 하숙생들과 마찬가지로 부엌에서 밥을 먹습니다. 며칠씩 보이지 않을 때가 있는가 하면, 매일같이 같은 자리에 누워 잠만 잘 때도 있습니다. 이름은 없습니다. 살갑기는커녕 배가 고프면 가까이 다가와서 얼굴을 빤히 쳐다보는 것이 녀석과 나눌 수 있는 교감의 전부입니다.

그런 와중에도 누군가는 사료를 사두고, 봉지가 바닥을 보일 때쯤이면 다시 누군가가 사료를 채워둡니다. 포장지가 계속해서 바뀌는 것으로 보아 아마 다수의 하숙생이 돌아가며 구매하는 것이 아닌가 싶습니다. 주인아주머니나 아저씨가 고양이 밥까지 구비해둘 것 같진 않거든요.

고양이의 존재는 '우리'로부터 떨어져 나온 일종의 부산물로서, 아마 그에 대한 책임은 각 개인에게 있을 겁니다. 고양이는 어디까지나 '우리'의 사적인 영역에 기생하며, 각자가 품은 애정만큼의 정성을 들여 돌보는 존재겠지요. 그러고 보니 그곳에 함부

les pieds ou les pattes chez eux.

Bien sûr, en tant que locataire, je suis aussi contraint de participer à la tournée des gamelles.

Cet affreux matou a les poils de couleur fauve, de loin, on dirait une vieille pelure d'orange à moitié desséchée. Son regard est méchant et son miaulement ressemble au crissement d'un vieux biclou tout rouillé.

Aujourd'hui, après m'avoir reconnu, il s'est glissé sous une voiture noire garée au coin de la rue et il est resté à me dévisager dans cette position. Voulez-vous savoir ce que j'ai fait ? Rien.

Le fait de le voir à l'extérieur de la pension sans m'y attendre m'a laissé pantois. Je me suis tellement pris la tête à me demander quoi faire que mes cheveux étaient complètement ébouriffés au point de ressembler aux poils de ce chat. Finalement, j'ai fait comme si de rien n'était, je suis rentré directement à la pension. Il pleuvait beaucoup à ce moment.

De toute façon, il aurait été difficile de le prendre avec moi car j'avais le parapluie à tenir. Il n'aurait d'ailleurs pas compris que je lui proposais mon aide. Imaginez une grande asperge, car c'est ce que je suis devenu pendant tout le temps où vous n'étiez pas là, en train traverser quatre à quatre la ville sombre, le dos arqué par le poids des années. S'il vous plaît,

로 발을 들이밀지 않는 건 주인 내외의 배려일 수도 있겠습니다.

물론 나 역시 하숙집을 존재하도록 하는 하나의 개인으로서 사료 구매 행렬에 동참하고 있습니다.

이 사나운 고양이는 채 영글지 못한 귤껍질과도 같은 모호한 오렌지색 털을 지니고 있습니다. 눈빛은 사납고 목소리는 길에 내놓는대도 아무도 탐내지 않을 자전거 바퀴에서 날 법한 쇳소리를 닮았습니다.

길에서 하숙생을 알아본 녀석은 모퉁이에 주차되어있던 까만 세단 밑에 가만히 들어앉아 나를 노려보았습니다. 나는 무얼 했냐고요? 아무것도 하지 않았습니다.

이상하게 집이란 개체에 소속된 것을 밖에서 마주하면 그렇게 어색할 수가 없습니다. 어쩐지 녀석의 엉킨 털만큼 나의 머리털도 쭈뼛 서는 것 같았달까요. 나는 불편한 마음으로 녀석을 길에 버려둔 채 귀가했습니다. 녀석은 아직 돌아오지 않고, 때마침 소나기가 퍼붓기 시작했습니다.

그렇다고 해서 고양이랑 한 우산을 쓰고 집으로 돌아올 수는 없지 않습니까. 녀석이 그런 제안을 호의로 받아들일 일은 더더욱 없을 테고요. 안 그래도

ne m'en voulez pas d'avoir agi de la sorte et mettez-vous à ma place : cela ne rime à rien de voir un grand dadais d'un 1m90 déambuler dehors sous la pluie, un parapluie dans une main et un chat dans l'autre.

Tiens, la nuit est déjà tombée ? Il est grand temps d'ouvrir les fenêtres et d'aérer la chambre. L'air y est devenu malsain, la chaleur de la journée a brassé quantité de miasmes restés trop longtemps en suspens.

Il va sûrement continuer à pleuvoir toute la nuit. Je crois que ce n'est pas prêt de s'arrêter.

N.

당신이 사라진 세월 동안 나는 멀대처럼 키가 커버려 더욱 구부정한 모습으로 이 울적한 도시를 돌아다니고 있거든요. 190센티미터 가까이 되는 비쩍 마른 청년이 고양이와 나란히 우산을 쓰고 걷는 모습을 상상해보기 전에는 나를 나무랄 생각일랑 마십시오.

그나저나 언제 이렇게 깊은 밤이 되었을까요? 아무래도 창문을 조금 열어야겠습니다. 낮의 미지근한 공기가 방안에 그득 찬 채 아우성을 치며 몰려다니는 것만 같으니까요.

아무래도 밤사이 많은 비가 내릴 것 같습니다.

그저 소나기에 그치지 않을 것 같다는 말입니다.

N.

Monsieur Vincent,

Saviez-vous que les rivières ont elles aussi leurs propres ondulations ? Ces remous, étonnamment, pèsent leur poids. Les vagues de la mer et les remous de la rivière ne suivent pas la même logique. Les remous d'une rivière en furie peuvent vous essorer le cœur jusqu'à ce que vous deveniez blanc comme un linge.

Malheur à celui qui fixe d'un peu trop près les ondelettes qui frémissent à la surface car la rivière pourrait bien un jour l'engloutir en un coup de gueule, vous n'êtes pas de mon avis ?

C'est la découverte que j'ai faite : la rivière est peut-être un lieu de passage vers un autre monde, là où viendraient s'engouffrer des tas de gens.

C'est ça. C'est par cette même fenêtre que j'ai vu pour la dernière fois la silhouette de Dahlia.

Maintenant, Dahlia n'apparaît plus dans mes rêves. L'un de nous deux s'est peut-être perdu en chemin, il se passe quelque chose de nouveau.

Où en est cette relation ? Je ne vois pas comment j'arriverai à la revoir un jour. Est-ce que nos chemins

친애하는 빈센트,

당신, 강에도 파도가 친다는 걸 알고 있었나요? 강의 파도는 이상하리만치 무거운 물결입니다. 바다의 것과는 기운부터가 다르다고 할 수 있습니다. 한 뼘 남짓한 두께가 묵직하게 내려앉을 때마다 마음이 함께 들썩이고 맙니다.

결국엔 그렇게 다들 쉼 없이 일렁이는 마음의 높고도 낮음을 구경하다, 저도 모르게 삽시간에 집어삼켜지는 게 아닐까요?

그렇게 우연히, 다수의 사람이 사라지는 또 다른 세계의 입구를 발견했습니다.

맞아요. 그건 달리아의 창만큼이나 쓸쓸한 입구였습니다.

더는 꿈에서 달리아를 마주치지 않습니다. 그녀가 길을 잃었든 내가 길을 잃었든, 무언가 문제가 발생한 게 분명합니다.

우리는 어디쯤 와있는 걸까요? 과연 우리는 다시 만나게 될까요? 아니면 이대로 영원히 비껴가고 만

ont fini de se croiser ? Nous serions devenus deux étoiles filantes qui s'éloignent l'une de l'autre en se refroidissant un peu plus chaque jour, bientôt l'éternité ne suffira plus pour mesurer la distance qui nous sépare.

Vincent, si vous plongez dans ma peine, vous y verrez une fleur qui s'est épanouie tout au long de l'année. Il s'agit d'un dahlia qui fleurit aussi bien au printemps, en été, en automne qu'en plein hiver. Son manque persiste toujours. Vous savez très bien que cette fleur ne mourra jamais et que je n'ai aucune prise sur le passé. Alors que faire de tous ces souvenirs devenus si encombrants avec le temps ?

J'ai tant de choses à accomplir et sa mort me tiraille toujours.

Et vous ne savez toujours pas où me trouver.

Toujours en manque de vous,

N.

걸까요? 이런 생각을 하다 보면 두 개의 직선이 우주를 가로질러 오다 단 한 번, 뜨겁게 마주치고는 영원으로도 부족한 시간을 들여 멀어져 가는 모습이 떠오릅니다.

빈센트, 어서 나의 우울에 발을 담그고 변하지 않는 나의 사계를 관람해 주었으면 합니다. 모든 봄과 여름과 가을과 겨울에 달리아가 고루 피어 있습니다. 그리움은 저물지 않습니다. 아시다시피 저무는 것은 힘없는 추억입니다. 그렇다면 추억은 대체 무엇이기에 우리를 이렇게까지 비참하게 만드는 걸까요?

삶은 아직도 너무나 멀고 죽음은 이렇게나 가까운 곳에 있습니다.

그리고 당신은 여전히 내게 오는 길을 찾지 못한 모양입니다.

그리움을 꾹꾹 눌러 담아,

N.

Cher Vincent,

Saviez-vous que votre prénom se prononce différemment dans la langue de Molière ? Bien sûr que vous le saviez mais vous n'aviez aucun intérêt de me dire, n'est-ce pas ?

Ce soir, j'étais en train de prendre un bain lorsque le téléphone s'est mis à sonner. C'était bien la première fois que j'entendais une sonnerie s'éterniser à ce point. La personne au bout du fil devait être dans un état second pour insister de la sorte, et pourquoi la messagerie ne s'est-elle pas mise en route ? C'est un vrai mystère.

Il n'empêche qu'après être sorti du bain, je me suis senti vraiment abattu et angoissé et cela ne s'est pas amélioré lorsque j'ai commencé à écrire cette lettre.

Si So-eui était encore debout à cette heure-ci, je l'inviterais à boire un thé. Je vous parlerai d'elle plus en détails dans une prochaine lettre.

Au fait, j'ai découvert que le chat de la pension a bien un nom.

Il y a quelques jours, c'était le matin, j'ai entendu

Cher Vincent,

프랑스어를 사용하는 곳에서는 빈센트를 뱅상이라고 발음한다는 거, 알고 있었나요? 물론 알고 있으면서도 내게 말해주지 않았겠지요.

어스름이 깔릴 무렵 뜨거운 욕조에 들어앉아 있을 때, 전화가 한 통 울렸습니다. 정말이지 그렇게 끈질기게 울리는 전화는 처음이었습니다. 아무래도 수화기 건너편의 존재가 완전한 편집증 환자였다거나, 음성사서함의 목소리가 잠시 자리를 비웠다거나 하는 뭐 나름대로의 상황이 있었을 거라 생각합니다.

몸을 말리고 나온 후부터 묵직한 피로와 불안이 엄습했고, 펜을 들고 있는 이 와중에도 석연치 않은 마음이 가시질 않습니다.

소의가 아직 깨어있다면 차를 한잔할 의향이 있는지 물어봐야겠습니다. 소의가 누군지에 대해서는 다음 편지에서 이야기하도록 하겠습니다.

참, 하숙집의 고양이에게 이름이 있었습니다. 며

So-eui crier : "Corbeille !". J'ai tout de suite imaginé que ce chat avait été trouvé dans une corbeille flottant sur la rivière.

Depuis le fameux jour d'automne où je l'ai laissé dehors sous la pluie, il me regarde de travers. Il m'en veut toujours d'être passé à côté de lui en l'ignorant. Il est difficile de s'excuser auprès d'un chat alors je vais devoir trouver un moyen de me racheter.

Et si je lui offrais mon vieux pull sur lequel il lorgne constamment ?

Amitiés.

(Dans le pays des Vincent, c'est ainsi que l'on salue les personnes qui nous sont chères)

N.

칠 전 아침에 소의가 고양이를 '소쿠리야'라고 부르
는 것을 들었거든요. 소쿠리에 담겨 강을 둥둥 떠내
려오는 걸 낚싯대로 건지기라도 했나 보지요.

　가을장마가 시작되던 날 이후로 부쩍 녀석과 사
이가 껄끄러워졌습니다. 녀석은 내가 자신을 길에
서 보고 그냥 지나친 것에 대해 그냥 넘어가지 않기
로 한 모양입니다. 고양이에게 사과해 본 적은 없으
나, 방법을 한번 찾아봐야겠습니다.

　녀석이 호시탐탐 눈독을 들이던 낡은 스웨터라
도 선물해볼까요.

　　　　　　　　　　　Amitiés.
　　　　　(뱅상들이 사는 나라에선 이런 식으로
　　　　　　사랑을 담은 인사를 한다고 하기에)
　　　　　　　　　　　　　　N.

Vincent,

Je savais d'avance que je me réveillerai à l'aube. J'ai toujours besoin de m'assurer que mon esprit est bien dans mon corps, que mon corps est bien dans cette chambre sombre, et que Dahlia est bien morte. Une fois que je suis sûr de tout cela, je peux retourner me coucher.

C'est bizarre, n'est-ce pas ? Pourquoi ai-je tout le temps besoin de me convaincre de tout ça ? Peut-être reste-t-il en moi une peine tapie dans l'ombre qui cherche toujours à me faire souffrir ? Et si je la laissais faire, ne viendrait-elle pas me déranger dans mon sommeil ?

Lorsque la mort me réveille, je suis terrorisé. Je ne supporte plus ces moments effroyables. Subir cela nuit après nuit équivaut à réduire à néant tous mes efforts. C'est la plus grande trahison que j'ai faite à Dahlia. Et ce que je viens d'écrire est on ne peut plus sincère. Qu'est-ce qu'il y a de plus terrifiant que la mort ? Je ne sais pas comment elle a fait pour pénétrer directement dans cette saison tant redoutée des morts.

빈센트,

새벽이면 꼭 한 번 깨어난다는 걸 알았습니다. 어두컴컴한 방에서, 나의 존재와 함께 내가 어느 도시에 있는지를 확인하고, 달리아가 죽었다는 사실을 확인합니다. 그런 후에야 다시 잠이 들 수 있습니다.

이상한 일입니다. 나는 자꾸만 무엇을 확인하고 싶은 걸까요? 나의 슬픔이 여전히 방구석에 웅크리고 앉아있다는 걸 확인하는 걸까요? 아니면 그것이 나를 깨워 일으키는 걸까요?

때때로 그것은 죽음에 대한 극심한 공포를 동반하기도 합니다. 나는 유난히 이 부분을 인정하는 데 어려움이 있습니다. 그건 나의 많은 수고를 부정하는 공포이자 달리아를 향한 최악의 배반처럼 느껴지거든요.

그리고 난 당신에게 보내는 모든 편지를 통틀어 가장 솔직한 문장을 방금 막 적어 내린 참입니다. 죽음만 한 공포가 또 있을까요? 당최 그녀가 어떻게 그 두려운 계절을 단숨에, 일말의 망설임도 없이

Lorsque ses parents sont partis en Lituanie pour préparer les funérailles, je me suis introduit dans leur maison et me suis allongé sur le sol du salon où planait une atmosphère mortuaire, j'ai alors fixé le vide autour de moi et il me semble que je n'ai fait que cela. La vie était devenue pour moi un château de sable en ruine que la marée venait d'engloutir d'une traite, en détruisant sur son passage toutes les attentes et toutes les croyances d'un adolescent de seize ans. Je me suis assoupi à force de regarder le vide laissé par la marée.

Dans mon rêve, je suivais de manière complètement détachée l'ambulance qui transportait Dahlia. La camionnette blanche a brusquement freiné, la porte arrière s'est ouverte et Dahlia, pâle comme un linge, en est sortie épouvantée. À ma vue, elle s'est tout de suite précipitée dans ma direction pour se jeter à mon cou. Ses yeux étaient remplis d'effroi. La Mort, hideuse, était à ses trousses et Dahlia réalisait qu'elle ne pourrait pas lui échapper. Son regard m'implorait, j'étais submergé de peur. J'aurais dû lui prendre la main et nous nous serions enfuis.

Mais cela n'a pas été le cas. Je l'ai calmée puis je l'ai reconduite dans l'ambulance.

Ensuite, je lui ai fait comprendre qu'elle devait s'en aller. C'est ainsi que j'ai laissé partir mon amour âgé

뒤도 돌아보지 않고 걸어 들어갈 수 있었는지, 여전히 이해할 수가 없습니다.

　달리아의 부모가 딸의 장례식을 치르기 위해 리투아니아로 떠나던 날 밤, 나는 빈집에 몰래 기어들어가 죽음의 기운이 채 가시지 않은 거실의 침통한 공기를 이불 삼아 누운 채 허공을, 오직 허공만을 바라보았습니다. 삶은 해변의 고운 모래로 지은 모래성인 양 묵직한 파도 한 번에 와르르 무너져 내려, 열여섯이 그에 관해 품었던 모든 기대와 믿음을 한순간에 파괴해버렸습니다. 그렇게 파도가 지나간 자리를 보다 잠이 들었나 봅니다.

　꿈에서 나는 달리아가 탄 구급차를 초연한 얼굴로 배웅하고 있었는데, 브레이크등이 들어오더니 문이 열리고 새하얗게 질린 그녀가 뛰쳐나왔습니다. 그녀는 나를 보자마자 난데없이 목을 졸랐습니다. 그녀의 두 눈은 완벽히 겁에 질려있었습니다. 고약한 죽음은 이미 그녀의 발목을 단단히 잡아챘고, 그녀는 자신이 그것에게서 벗어날 방법이 없다는 사실을 깨달은 듯했습니다. 그 공포는 곧장 내게로 전염되어 나는 그만 그 자리에서 뻣뻣하게 굳어버리고 말았습니다. 그때 그녀를 붙들고 어디로든

seulement de seize ans, piétiné impitoyablement par ma lâcheté, par ma volonté de vivre. Depuis, je suis devenu ce jeune gars incapable de se regarder dans un miroir.

Vincent, est-ce que tu sais pourquoi j'ai reculé devant la Mort ?

Si la Mort avait au moins pris la peine de m'arracher Dahlia d'un seul coup, proprement, mais là, quoiqu'on en pense, je n'allais quand même pas me foutre en l'air sans rien dire ?

Je ne sais toujours pas comment vivre avec ça sur le cœur. Tout ce que l'on chérissait dans le passé est bel et bien mort et enterré, et dans le meilleur des cas, il ne reste plus que vous et moi, c'est-à-dire, un semblant de nous.

N.

도망쳐야 했습니다. 하지만 그러지 않았어요. 나는 그녀를 조용히 달래어 다시 구급차에 태웠습니다. 그리고 그녀에게 말했습니다. 어서 가야만 한다고.

그렇게 그녀의 죽음 앞에서 버젓이 살아남은 열여섯 소년의 순정은 비겁함으로 얼룩지게 되었습니다. 소년은 다시는 떳떳한 마음으로 살아갈 수 없을 겁니다.

빈센트, 어찌하여 죽음은 이렇게나 두려운 존재가 되었을까요?

나의 달리아가 그 존재를 향해 단 한 번의 주저도 없이 휩쓸려 사라졌다면 나만큼은, 누가 뭐래도 나만큼은 활짝 웃으며 그녀를 뒤따를 수 있었어야 하는 게 아닌가요?

살아남는 건 어찌 보면 가장 비겁한 영혼일지도 모르겠습니다. 우리가 한때 사랑한 모든 것은 죽고 없고, 이곳엔 기껏해야 나와 당신, 그리고 우리뿐인 것 같습니다.

N.

Vincent,

Aujourd'hui, j'aimerais vous parler de So-eui. Si vous trouvez qu'il y a quelque chose qui cloche avec son prénom, c'est tout à fait normal. Moi-même, je ne peux m'empêcher de me dire que So-eui est un prénom bizarre et qu'elle aurait plutôt dû s'appeler Sohee.

Pourtant, il n'y a rien dans son visage qui heurte, ses traits sont doux et attentionnés. C'est un visage qui, une fois que vous vous êtes retourné, s'estompe vite un peu comme la rémanence d'un paysage peint à l'aquarelle. Ses cheveux noirs tombent au niveau de ses épaules. Elle se maquille peu et porte aux oreilles des pendentifs en argent. Elle s'habille souvent pareil, avec un jean délavé, un sweet en coton et des baskets.

Arrivez-vous à bien vous la représenter maintenant ?

En fait, je n'ai jamais osé lui demander si son prénom possédait des caractères chinois. C'est le genre de chose qu'on ne demande pas au début d'une relation, après tout, pour le moment, on ne fait que partager un espace de vie collective. Elle se serait méfiée de moi sinon.

빈센트,

　오늘은 당신에게 소의를 소개하려 합니다. 그녀의 이름 어느 곳에 획이 하나쯤 빠져있다는 느낌이 든다면 그건 지극히 정상적인 견해입니다. 나 역시 그녀를 떠올릴 때마다 그녀가 잃어버린 한 획에 대한 생각을 멈출 수가 없거든요.

　그녀는 오밀조밀한 이목구비가 조화로운, 무엇 하나 유난스럽지 않은 얼굴을 하고 있습니다. 수채화 풍경이 남긴 잔상처럼 돌아서면 금세 흐릿해지고 마는 그런 얼굴입니다. 머리는 흑발이고 그 길이는 어깨를 넘지 않습니다. 화장은 거의 하지 않고 귀에는 은으로 된 피어싱을 주렁주렁 달고 있습니다. 주로 색이 바랜 청바지에 면으로 된 스웨트셔츠를 입고 운동화를 신습니다.

　자, 이제 대충의 이미지가 그려졌겠지요?

　사실 한 번도 그녀의 이름을 한자로도 표기할 수 있는지 물어보지 못했습니다. 그런 것은 보통 서로를 조금씩 알아가는 참에 물어보게 되는 것이지, 이미 한 주거공간을 나눠 쓰는 사람들끼리 물어볼 건

Je me suis dit que son père était peut-être arrivé au bureau d'état civil au moment où les portes allaient se refermer et que dans la précipitation, il se serait trompé au moment d'enregistrer le prénom de sa fille, et que cette erreur d'orthographe serait ensuite restée telle quelle par la suite. Quoi qu'il en soit, je ne saurai jamais pourquoi son prénom sonne faux.

Toujours est-il qu'elle s'appelle So-eui. Je ne sais pas si c'est à cause de cela ou bien d'autre chose, mais quand je la regarde j'ai l'impression qu'une partie d'elle n'appartient pas à ce monde.

Et bien sûr, je n'ai pas accès à ce monde-là. C'est d'ailleurs peut-être le même endroit où vous êtes en ce moment.

Allez. Je vais vous donner d'autres détails.

So-eui fréquente la même université que moi et sa chambre est au rez-de-chaussée. C'est une pièce qui a l'avantage d'être mieux éclairée l'après-midi que le matin.

Au même étage, se trouvent le salon avec un espace de travail inclus, une cuisine avec une grande table à manger, un débarras ainsi que la buanderie. Le reste des pensionnaires logent tous aux premier et deuxième étages.

아닌 것 같거든요. 지나치게 새삼스럽달까요.

더군다나 만약 그녀의 아버지가 출생신고를 할 당시 동사무소 문이 닫히기 일보 직전이었다던가, 뭐 그런 하찮은 사정으로 이름에 획을 하나 빼먹고 써버렸을 수도 있는 일이니까요. 그런 경우라면 우리는 진실을 듣기 더더욱 힘들어질 겁니다.

무슨 연유였든, 그녀의 이름은 소의입니다. 이름이 주는 온전하지 못함 때문인지 무엇 때문인지는 몰라도 그녀를 보고 있으면 항상 양쪽 발 중 한 발을 다른 세상에 담가놓은 것처럼 멀뚱히 서 있다는 느낌을 지울 수가 없습니다.

물론 그녀가 한쪽 발을 담근 세상에 무엇이 사는지는 알 도리가 없습니다. 어쩌면 당신이 숨어있는 세상일지도 모를 일이지요.

좋아요. 더 남의 이야기로 허풍을 떨진 않겠습니다.

그녀는 나와 같은 대학에 다니고 그녀의 방은 1층에 있습니다. 오전보다는 오후에 빛이 잘 드는 방입니다.

그녀의 방을 제외한 1층에는 거실 겸 서재와, 큰 식탁이 있는 부엌, 창고, 세탁실이 있고 다른 하숙

Le salon avec l'espace de travail inclus n'est en fait qu'une vulgaire salle dotée d'un vieux canapé qui s'est taché au fil des ans, d'un téléphone fixe et d'une bibliothèque tristement dépourvue de livres. Sur ces étagères traînent ici et là des bricoles en tous genres que d'anciens étudiants voulaient se débarrasser en prétextant qu'elles pouvaient encore servir. Ces objets aux couleurs passées n'intéressant personne, un disque, une partition de piano, une casquette de baseball, un magazine avec une couverture déchirée, et j'en passe, ont fini par sombrer dans un profond sommeil. Plus rien ne peut les réveiller quand bien même de nouveaux objets viennent prendre place à côté d'eux. À moins que la pension ne prenne un jour feu, ils ne décolleront probablement plus de ces étagères. Ce monde est fait de résignation tout comme celui des défunts qui gisent six pieds sous terre.

Il m'est difficile de me rappeler du jour où So-eui est arrivée dans la pension. Ici, personne ne pose jamais de question, on ne sait donc pas qui vient d'emménager ni à quelle date. Tout le monde s'en fiche. Je ne vois d'ailleurs pas pourquoi on s'encombrerait l'esprit avec ce genre d'information.

Le hasard a voulu qu'elle et moi partagions de temps en temps la grande table de cuisine à l'heure

생의 방은 2층과 3층에 몰려있습니다.

거실 겸 서재라는 표현을 쓰긴 하지만 사실은 이런저런 얼룩으로 지나온 세월을 보여주는 낡은 소파와 전화기 한 대, 그리고 안쓰러울 정도로 책이 없는 책장이 전부입니다.

책장 안에는 이전에 살던 사람들이 기증이라는 평계로 버려두고 간 물건들이 두서없이 꽂혀있습니다. 레코드와 피아노 악보, 야구모자, 표지가 뜯겨나간 잡지 정도를 떠올리면 됩니다. 그리고 아무도 그 물건들에 관심을 가지지 않습니다. 색이 바랜 물건들은 그대로 더 깊은 잠에 빠집니다. 새로운 물건이 옆에 놓인대도 절대 깨어나지 않습니다. 아마 이 집에 불이 나지 않는 이상, 그 물건들이 옮겨지는 일은 일어나지 않을 겁니다. 무덤에서나 찾을 수 있을 법한 덤덤함의 세계입니다.

정확히 언제부터 그녀가 이곳에 들어와 살기 시작했는지는 기억나지 않습니다. 누가 어느 순서로 입주를 하고 방을 비웠는지 따위, 아무도 알려주지 않고 알고 싶어 하지도 않거든요.

사람들은 상상할 수 없을 겁니다. 우리가 알고 싶지 않은 정보에 무방비하게 노출되지 않는 것만으로도 얼마나 많은 것들로부터 해방될 수 있는지를

du petit-déjeuner. On s'est d'abord assis chacun à un coin de table, puis nos sièges se sont progressivement rapprochés jusqu'à ce que le courant prenne entre nous.

Une amitié, c'est bien de cela dont je parle.

La chambre de So-eui est très calme, tellement calme qu'on croirait qu'elle est vide. Et ce silence, ça lui ressemble bien.

So-eui est la seule pensionnaire qui daigne prendre son petit-déjeuner avec moi. Lorsqu'elle n'a pas réussi à fermer l'œil de la nuit, je m'en aperçois tout de suite. Il y a toujours quelque chose qui trahit les gens qui font des nuits blanches.

Ils ont des yeux battus, une bouche fermée qui ne veut pas s'étendre sur la nuit passée et le regard inquiet de ceux qui sortent à l'aube sains et saufs du bois. Dans ces cas-là, je lui prépare son petit-déjeuner sans lui adresser la parole. Elle ne fait jamais la difficile et avale tout ce que je lui donne jusqu'à la dernière miette. Tout lui est égal, que ce soit la cuisson des œufs sur le plat, le fait de verser dans son bol les céréales avant ou après le lait, d'éplucher ou non les tomates avant d'être mixées dans la soupe, le fait que je confonde la sauce de soja avec la sauce balsamique, elle avale tout ce que je lui prépare. Son attitude ne

요.

우리는 그저 여러 번 이른 아침에 부엌 식탁을 나누어 썼고, 각자 식탁의 가장자리를 사용하다 하루에 한 칸씩 당겨 앉으며 친구가 되었습니다.

친구. 맞아요. 정확한 표현입니다.

소의의 방은 조용합니다. 아무것도 담고 있지 않은 것과 같은 극한의 고요입니다. 그리고 그 고요가 그녀를 표현합니다.

소의는 나와 아침밥을 함께 먹는 거의 유일한 사람입니다. 그녀가 밤을 지새운 날이면 나는 그 사실을 매우 빠르게 알아챌 수 있습니다. 어제에서 온 사람들에게는 특별한 점이 있기 때문입니다.

하루만큼 더 늙어버린 눈, 지난밤에 대해 굳게 다문 입, 그리고 새벽에 무사히 도착했나 살피는 염려의 시선.

나는 그것들을 묻지 않는 것으로 위로하며 그녀를 위해 아침 식사를 만듭니다. 그녀는 내가 하는 음식이면 가리지도 남기지도 않고 몽땅 먹어 치웁니다. 달걀노른자의 익힌 정도가 어떻든 관심이 없을뿐더러 그릇에 시리얼을 붓고 우유를 붓든, 우유를 붓고 시리얼을 붓든 관심이 없습니다. 내가 토마토수프를 끓일 때 토마토 껍질을 벗기는 것을 잊어

m'étonne pas puisque je sais qu'elle vient de passer une nuit d'enfer.

Dès que je commence à faire du café, elle se met tout de suite à la vaisselle. Elle remonte les manches de son sweet gris clair de manière résolue, et fait tournoyer ses mains expertes dans l'eau mousseuse.

Je lui adresse alors quelques mots en buvant mon café. À moitié endormie, elle continue à frotter un bol déjà débarrassé de toutes ses impuretés.

Sur ce, notre matinée s'achève. Il nous faut alors céder la cuisine aux autres étudiants qui arrivent, et chacun retourne dans sa chambre comme si de rien n'était.

Les petits-déjeuners que je partage avec So-eui sont aussi plats que la surface d'un lac au petit jour. Ce sont des matinées à la fois sombres et paisibles. Dans cette atmosphère où tout est silencieux, sans vous en apercevoir, vous perdez en chemin des choses qui tombent et disparaissent dans les eaux vraiment troubles. Il est alors impossible de les repêcher. Ce sont toutes ces choses qui, de toute façon, auraient tôt ou tard été perdues, des choses qui auraient dû être perdues bien avant.

C'est en me baignant dans les eaux troubles de So-eui que j'ai réalisé combien Dahlia me manquait.

도, 수프에 간을 하며 발사믹 소스 대신 실수로 간장을 들이붓는대도 그녀는 일말의 불만 없이 식사를 이어나갈 겁니다. 밤의 지옥에서 막 뛰쳐나온 사람에게 아침 메뉴가 무엇인들 의미가 없는 것이 놀라운 일은 아니겠지만요.

그녀는 내가 커피를 내리기 시작하면 기다렸다는 듯 설거지를 합니다. 빛바랜 회색 스웨트셔츠 소매를 팔꿈치까지 씩씩하게 걷어 올린 뒤에, 야무진 손길로 그릇을 박박 닦기 시작하는 겁니다.

나는 내려놓은 커피를 마시며 몇 마디를 건넵니다. 그녀는 이제 어느 정도 졸려 보이고, 깨끗하게 엎어진 그릇 위로는 벅벅 씻어도 지지 않는 먹먹함만이 남았습니다.

아침의 시간은 거기까지입니다. 이 과정이 끝나면, 우리는 부엌으로 들어오는 다른 학생들에게 자리를 양보하며, 아무 일도 없었다는 듯 각자의 방으로 돌아갑니다.

소의와 나누는 아침은 새벽의 강처럼 한적합니다. 어두우나 평온합니다. 그 한적함 속에서 당신은 당신도 모르는 사이에 시커먼 물살 아래로 이것저것을 떨어뜨리게 됩니다. 그게 뭐가 되었든 다신 찾을 수 없을 겁니다. 어쩌면 일찌감치 잃어버렸어야

C'était devenu clair comme de l'eau de roche, il n'y avait que Dahlia dans ma vie et cela ne me posait aucun problème, je n'en ressentais aucune honte. C'était comme si dès le départ, Dahlia avait compté plus que tout le reste.

Comment son existence est-elle parvenue jusqu'à la connaissance de So-eui ? Lui en aurais-je déjà touché deux mots ?

Si tel est le cas, je devais être ivre à ce moment-là ou bien elle m'a entendu parler dans mon sommeil. Quand on vit dans un monde où se côtoient à la fois le rêve et la réalité il est difficile de garder l'esprit clair.

Quoi qu'il en soit, je ne saurai jamais comment tout cela a sombré au fond de l'immense rivière So-eui.

Je crois que le téléphone est en train de sonner. Il faut que je descende voir.

N.

하는 것들일지도 모릅니다. 이미 아주 오래전에 잃어버렸어야 했을 것들.

그녀의 강에 한번 몸을 담갔다 나오면, 나는 더 선명하게 달리아를 볼 수 있습니다. 마치 내가 봐야 할 유일한 것인 양, 나의 달리아를 아무 염려나 죄책감 없이 그리게 되는 겁니다. 애초부터 중요한 건 그뿐이었던 것처럼 말입니다.

소의가 그녀의 존재를 알고 있냐고요?

말을 했던 것도 같고, 그러지 않았던 것도 같습니다. 나는 술에 취해있었을 수도, 잠에 취해있었을 수도 있으니까요. 꿈과 현실이 두리뭉실한 곳에 살다 보면 많은 것들을 떠올릴 수 없게 되거든요.

어쩌면 그마저도 그녀의 넓고 깊은 강에 빠트려 버렸는지도 모를 일입니다.

전화가 울린 것 같습니다. 아래층으로 내려가 봐야겠습니다.

N.

Ça faisait longtemps, Vincent.

Cette nuit, on entend le chant des criquets. Il paraît qu'un typhon est en train de se diriger droit sur la ville. Demain, les chants des criquets s'éteindront totalement. Emportés par les trombes d'eau, ils résonneront vite comme un lointain souvenir du passé.

Et cela me fait beaucoup penser à vous, vous qui êtes à présent totalement perdu et introuvable, vous qui vouliez hier traverser la mer calme et sans vague, mais qui, depuis, avez coulé.

Je vous imagine souvent comme un point à peine visible à l'horizon. Ne pouvant avancer nulle part, vous vous êtes dilué dans la mer comme l'aquarelle sur le pinceau qu'on secoue dans un grand verre d'eau. À cet endroit, la mer prend des tons pastels et respire paisiblement.

Pufff...fuiiit...

Comme il est prévu qu'il pleuve demain à la première heure, j'ai été faire plusieurs fois le tour de promenade à pied du quartier. Je ne pratique pas d'autre

오랜만입니다, 빈센트.

풀벌레 소리가 나는 밤입니다. 태풍이 속도를 올려 도시를 향해 돌진하고 있다는 뉴스를 들었습니다. 풀벌레 소리도 내일이 되면 들을 수 없게 되겠군요. 곧 빗물에 젖어 죽을 소리라 생각하니 오늘 밤으로 접어든 순간이 이상하리만치 오래된 일처럼 느껴집니다.

당신을 숱하게 떠올립니다. 그 어디서도 찾을 수 없게 완벽히 유실된 존재로, 당신은 파도도 없는 잔잔한 바다를 건너는가 싶더니 그대로 가라앉아버리고 말았습니다.

종종 당신이 바다로 헤엄쳐나가는 모습을 상상하곤 합니다. 당신은 물통에 풀어놓은 수채화 물감인 양 몇 미터 나아가지도 못한 채 스르륵 풀어지고 맙니다. 그리고 그 자리엔 영롱한 빛깔의 바다가 고른 숨을 내쉬고 있습니다.

쉬익쉬익, 음음.

sport. Ah, j'oubliais, je fais aussi du yoga de temps en temps avec So-eui, elle donne des cours de hatha yoga près de la pension et parfois, je l'accompagne jusqu'à la salle de yoga mais ceci reste très occasionnel. Pour être tout à fait franc, je n'y participe quasiment jamais.

Un jour, elle est venue vers moi après l'un de ses cours et m'a dit : "Avant de te connaître, j'avais l'impression que tu étais quelqu'un d'un peu perdu, que tu ne savais pas pourquoi tu étais là, mais en réalité, tu fais partie des personnes qui ne perdent pas l'équilibre dans les situations impossibles. Et tu es même plutôt à l'aise avec la pratique du yoga. Tu n'as aucun mal à faire le poirier du haut de tes 1m90, maintenant je peux même dire qu'un drôle d'arbre a poussé en plein milieu de la salle, un arbre magnifique qui fait plaisir à voir !"

C'étaient ses propres termes.

Depuis, chaque fois que je fais le poirier, je vois mes cheveux shampouinés tomber en filaments sur le tapis de sol comme si le drôle d'arbre voulait prendre racine. Dans cette position, les pensées s'éclaircissent et l'être se purifie intégralement. J'aimerais que cet état, bien qu'illusoire, puisse perdurer.

Et si nous vivions tous sans le savoir retournés dans le mauvais sens ? Tellement de choses compliquées

　새벽부터 비가 쏟아진다고 하여 동네를 몇 바퀴 달렸습니다. 조깅과 긴 산책 외에 다른 운동은 하고 있지 않습니다. 아, 아주 가끔 소의의 요가 수업에 따라나설 때가 있습니다. 정확히 말하자면 소의의 수업에 일일 회원으로 참여하는 것이지요. 그 아이는 집 근처 작은 요가원에서 하타요가를 가르치고 있거든요.

　"네 삶은 언뜻 봐도 맥락도 짜임새도 없고, 너는 그곳에서 영문도 모른 채 머쓱하게 서 있는 느낌이라 해야 할까, 여하튼 너는 불가능한 상태에서 나름대로의 중심을 찾는 방법을 터득한 사람에 속해. 그래서 요가라는 행위가 네게는 비교적 쉽게 느껴지는 게 아닐까 싶어. 네가 그 큰 키로 물구나무를 서면 아, 내가 이 교실 한가운데에 이름 모를 나무를 심었구나, 근데 그게 참 보기 좋게 잘 자라는구나, 이런 생각이 들며 기분이 좋아지지."

　언젠가 소의가 말했습니다.

　그 뒤로부터 물구나무를 설 때마다 머리에서 부드럽고 향기로운 촉수가 쏟아져 나와 땅을 향해 깊은 뿌리를 내리는 듯한 느낌을 받을 때가 있습니다. 그렇게 빛바랜 상념에도 힘이 생기고 나의 존재마저 어느 선까지는 납득되는 것입니다. 가끔은 그 상

s'allègent lorsqu'on a la tête à l'envers. Il est toujours difficile de trouver un bon point d'observation sur la vie d'autrui.

N.

태로 영원히 머무를 수도 있을 것만 같은 환상에 사
로잡히기도 합니다.

우리 모두 사실은 몸을 뒤집어 살고 있는지도 모
를 일입니다. 머리가 땅으로 향하면 많은 것들이 간
단해지거든요. 남의 삶을 들여다볼 여유 따윈 좀처
럼 찾을 수 없을 테니 말입니다.

N.

Bonjour Vincent,

Aujourd'hui, j'ai décidé de retourner dans mon village natal. Après avoir fait les cent pas toute la nuit, je suis monté dans le premier train ce matin. Ici, les jours sont si froids que les dix doigts de la main peuvent sentir l'approche de l'hiver.

Arrivé très tôt à la gare, j'ai pu obtenir facilement une place assise, mais après coup, j'ai changé de place et me suis installé pendant tout le trajet dans le wagon-bar avec un café, j'ai regardé le soleil se lever derrière les bouleaux qui défilaient. Je ne suis pas du genre à travailler dans les trains. J'ai l'impression que le temps passe trop vite et qu'il est impossible d'entreprendre quoi que ce soit.

Je suis à présent arrivé dans ma chambre d'enfant, les années qui se sont écoulées depuis semblent n'avoir laissé aucune trace, pas un seul petit trou de mite dans mes affaires, je n'arrive décidément pas à me défaire de cette amertume, c'est pourquoi je ressens le besoin de vous écrire.

Ma fenêtre est légèrement entrouverte, le froid s'y

안녕, 빈센트,

오늘 급작스럽게 고향에 내려오게 되었습니다. 밤을 꼬박 새운 뒤 새벽 첫 기차를 탔습니다. 이곳은 어느덧 열 손가락 모두가 겨울을 더듬어 느낄 수 있을 정도로 날이 많이 차가워졌습니다.

일찍 역으로 간 덕분에 지정석을 얻을 수 있었지만 굳이 식당칸에 앉아 싸구려 커피를 마시며 자작나무 사이로 해가 뜨는 걸 지켜보았습니다. 나는 움직이는 풍경 안에서는 생산적인 것이라곤 아무것도 할 수 없는 타입의 인간인 것 같습니다. 시간이 얼마나 빠르게 흐를 수 있는지 목격하면서 그만큼 더 무기력해지고 마나 봅니다.

지금은 나의 정든 방에 앉아, 그 어느 것 하나 변하지 않은 고장 난 세월을, 좀 하나 먹지 않은 그런 세월을 확인하곤, 도저히 씁쓸한 마음을 떨쳐낼 방법이 떠오르지 않아 이렇게 당신에게 편지를 쓰고 있습니다.

눈앞으로는 창이 조금 열려있고, 시린 바람이 파

est engouffré et me donne la chair de poule, on dirait qu'il veut me susurrer quelque chose à l'oreille. De l'autre côté de la ruelle, j'aperçois la fenêtre de Dahlia. C'est fermé maintenant.

Mais dans la journée, il y avait une fille d'une dizaine d'années. C'est probablement la nouvelle occupante.

Cette nuit, je dois éviter à tout prix de penser à des choses sombres pour veiller à ce que cette ruelle reste paisible. Je n'aimerais pas que cette petite fasse des cauchemars à cause moi.

N.

고들어 와 내게 무어라 속삭이는 중입니다. 골목 건
너편에 달리아의 창이 보입니다. 지금 그것은 굳게
닫혀있습니다.

낮에 열 살 정도 먹은 여자아이가 창가를 지나가
는 걸 보았습니다. 아마 창의 새로운 주인일 겁니
다.

오늘은 그 어떤 어두운 생각도 않고, 골목의 밤을
지켜야겠습니다. 나 때문에 건넛집의 자그마한 소
녀가 나쁜 꿈을 꾸게 되는 건 결코 원하지 않으니까
요.

N.

Vincent,

Ça faisait longtemps que je n'avais pas aussi bien dormi. Je crois que mon corps s'est rappelé de cet endroit. Je ne saurais vous dire à quel point ce vieux lit est sûr. Je ne compte plus les nuits que j'y ai passées étant enfant. Je ne sais d'ailleurs pas comment j'ai pu en réchappé. Mon corps, qui a retrouvé tout en place, a passé la nuit entière à renouer avec ce lieu.

J'ai essayé de ne pas faire de mauvais rêve mais ça n'a pas marché. Évidemment, ce n'était pas vraiment un rêve mais plutôt des flash-back imprécis qui remontaient à la surface de manière incontrôlable.

Dès que j'ai entendu la porte d'entrée se refermer doucement, j'ai tout de suite sauté du lit. J'ai attendu ce moment toute la nuit planqué dans l'obscurité de ma chambre comme un cambrioleur aux aguets.

Mes parents n'ont pas osé me réveiller pour aller à la messe du dimanche. Je ne sais pas ce que Dieu leur dit ou bien leur fait comme promesse, mais j'espère qu'il ne leur parle pas de moi. Je ne supporte plus que quelqu'un interfère dans ma vie.

Si je suis revenu ici, c'est uniquement pour assister

빈센트,

오래간만에 좋은 잠을 잤습니다. 마치 몸이 기억하고 있는 것만 같았습니다. 그 따뜻한 침대가 얼마나 안전한지. 얼마나 많은 밤이 그곳을 통과했는지. 그리고 어떻게 내가 그 모든 밤으로부터 살아 돌아왔는지. 몸은 그것을 분명히 기억하고 있다가, 밤새 나도 모르게 진한 회포를 푼 것만 같았습니다.

꿈마저 꾸지 않았으면 좋았겠지만, 그건 아닙니다. 물론 여전히 꿈이라고 하기도 뭣한, 떠올리는 것만으로도 귀찮은 마음이 들 정도로 성의 없는 장면만이 반복되었을 뿐입니다.

식구들이 조용히 현관문을 닫고 나가는 소리에 몸을 일으켰습니다. 마치 남의 집에 밤새 숨어있던 도둑이 된 기분이 들었지 뭡니까.

오늘은 주일이나 감히 아무도 나에게 예배를 드리러 가자 권하지 않았습니다. 그들의 신이 그들에게 무엇을 속삭이고 또 약속하는지는 알 수 없겠으나, 그게 나에 대한 것만은 아니길 바랄 뿐입니다. 이제 와 누군가가 나의 인생을 계획하는 것만큼은

à un enterrement. Oh, ne vous inquiétez pas, il s'agit du décès de quelqu'un que vous ne connaissez pas.

C'est une personne qui fréquentait le même lycée que moi. Je crois que nous étions dans la même classe en première. On n'était pas vraiment amis. Je ne me rappelle même pas lui avoir adressé la parole. C'était sûrement un camarade de classe placé à la table devant ou derrière moi.

Lui non plus, il ne se serait sans doute pas souvenu de moi. Comme vous le savez, j'étais plutôt un élève fauché à l'époque, je n'intéressais personne. Pour se démarquer, il fallait remplir trois conditions : le son, l'odeur et la couleur, et pendant tout le lycée, je n'ai jamais coché l'une de ces cases.

J'ai passé mon adolescence à être la risée de mes camarades, c'était épuisant, j'étais devenu quelqu'un d'hypersensible et sans énergie. Cela n'avait rien à voir avec la mort de Dahlia. Aujourd'hui, je suis capable d'accepter cela.

J'ai appris la nouvelle du décès de cette ancienne connaissance par son propre cousin. C'est lui qui m'a demandé de venir à l'enterrement, je n'ai pas su dire non. Je ne voulais pas qu'il pense que la mort est

용납할 수 없을 것 같기 때문입니다.

고향으로 내려온 건 장례식에 참석하기 위해서입니다. 아, 걱정은 않았으면 좋겠습니다. 당신이 모르는 사람의 죽음이니까요.

그를 알게 된 건 고등학교 때였습니다. 2학년 즈음 같은 반이었던 걸로 기억합니다. 엄밀히 말하자면 친구는 아니었습니다. 그와 나눈 그 어떤 대화도 떠올릴 수가 없거든요. 물론 옆자리에 앉았을 수는 있겠습니다. 앞이나 뒷자리에 앉았을 수도 있고, 급식소의 같은 테이블에서 여러 날의 점심을 함께했을 가능성도 있습니다.

아마 그는 나를 기억조차 못 할 겁니다. 아시다시피 나는 학교라는 틀 속에서 유난히 검소해지고 마는 존재여서 좀처럼 쉽게 눈에 띄는 일이 없었습니다. 각인을 위해서는 소리나 향기나 색깔 따위의 요소를 충족시켜야 하는데, 그 중 어느 것도 짊어지고 등교한 적 없었으니 말입니다.

나는 그 누구보다 사춘기에 심하게 두들겨 맞던 참이었고, 지쳐있었으며, 예민했고, 모든 의지를 소진한 채였습니다. 그건 달리아가 나타났다 사라진 것과는 별개의 문제였습니다. 맞습니다. 오늘의

quelque chose qui me laisse indifférent. En fait, c'est tout le contraire, je ne supporte plus les gens qui sont incapables de faire preuve de compassion pour autrui.

Le jour des funérailles, j'ai entendu quelqu'un dire dans le cortège : "On doit continuer à vivre", je n'ai pas pu m'empêcher de me demander ce qu'il se passait dans leur tête.

C'est vrai. Et même maintenant, je ne comprends toujours pas et cela me désole au plus haut point. Tant pis si cela vous fait sourire mais au fond de moi, j'ai de la haine pour ces gens.

De toute façon, on n'a pas le choix. Ceux qui vivent la mort d'un proche ne vivent plus. C'est comme s'il fallait tout reprendre à zéro, dans un monde complètement différent. Sachant que plus rien ne sera jamais comme avant.

Je ne voulais pas que la mort m'emmure vivant dans le silence, qu'elle m'empêche de me poser toutes les questions auxquelles j'avais besoin d'avoir des réponses, et encore moins qu'elle me fasse reculer de peur. Cette position m'est inacceptable même si je me serais bien passé de voir tous ces gens que je déteste.

Me voici donc de retour dans ma ville natale pour assister à l'enterrement d'une personne avec qui je n'ai aucun lien de parenté.

나는 그 정도는 인정할 수 있는 사람이 되었습니다.

부고를 접한 건 그의 사촌을 통해서입니다. 그가 내게 장례식에 참석하겠냐고 물었을 때 차마 거절할 수 없었습니다. 죽음에 무감각한 사람으로 살 수는 없으니까요. 언제부턴가 그런 부류의 사람을 지독하게 미워하게 된 것 같습니다.

타인의 죽음 앞에서 '산 사람은 살아야지'라는 푯말을 듣고 씩씩하게 내일을 향해 행진하는 사람들을 보면 머리가 어떻게 된 게 아닌가 싶은 생각을 떨칠 수가 없었거든요.

맞습니다. 외로움이 만든 치졸한 마음입니다. 당신이 비웃는대도 상관없습니다. 그렇다고 그들을 미워하는 마음이 한 올만큼이라도 줄어드는 일은 없을 겁니다.

산 사람은 사는 것이 아닙니다. 산 사람은 다시 살아가는 겁니다. 처음부터. 완벽히 다른 세상에서. 아무것도 되돌릴 수 없다는 지독한 전제하에 말입니다.

죽음 앞에서 할 말이 없다는 이유로 입을 다물고, 이해할 수 없다는 이유로 질문을 멈추고, 단순히 두렵다는 이유로 입을 열길 거부하는 사람이 되고 싶

Son grand cousin, âgé de quelques années de plus, habitait dans la même ruelle que moi. Je me souviens de sa maison blanche avec une toiture noire qui était entourée non pas d'un muret mais d'une simple clôture, et de la pelouse qui était toujours très bien tondue. Il y avait également un grand berger allemand dans la cour, je ne sais pas s'il est toujours là. Un jour, cela remonte à longtemps, j'ai entendu éclater une violente dispute dans cette maison et un peu plus tard, l'ambulance ainsi que la police ont dû intervenir en urgence. Après cet incident, le grand cousin est resté vivre seul avec sa mère. N'étant qu'un simple voisin, je n'ai pas pu en savoir plus.

Chaque fois que je le croisais, il me souriait d'un air blasé, (j'aimais bien son rire bref et ses faux airs d'adulte) il me demandait toujours des nouvelles de son petit cousin qu'il croyait être mon ami.

Je ne me souviens plus exactement de ce que je répondais mais en gros je lui disais que tout allait bien en cours pour lui. Je ne voulais pas qu'il sache que son petit cousin ne me fréquentait pas.

Quand la question du cousin était réglée, il s'intéressait à Dahlia. C'est d'ailleurs par lui que j'ai appris que la famille de Dahlia s'était déplacée de Lituanie spécialement pour le travail du père (sans savoir

지 않았습니다. 그건 나를 외롭게 한 사람들을 미워하는 마음을 만끽하기 위해서라도 결코 용납할 수 없는 일입니다.

그래서 나는 지금 이곳에 돌아와 있습니다. 별 연고도 없는 사람의 장례식에 참석하기 위해서 말입니다.

그의 사촌은 우리보다 서너 살이 많았고, 나와 같은 골목에 살고 있었습니다. 그의 집은 검은 지붕을 얹은 하얀 벽의 집으로 담을 대신해 낮은 울타리가 있고, 잔디는 늘 깨끗하게 손질되어있었던 것으로 기억합니다. 마당에는 커다란 셰퍼드 한 마리가 있었는데, 아직도 그곳에 있는지는 모르겠습니다. 오래전 그 집에서 한바탕 큰 싸움이 났고, 경찰과 구급차가 소란스럽게 몰려온 뒤로는 그와 그의 어머니만이 그곳에 살게 되었습니다. 이웃인 내가 아는 건 그 정도가 전부입니다.

하굣길에 그와 마주칠 때면, 그는 한결같이 피곤한 웃음을 보이며 (나는 그의 꾸밈없이 소탈한, 어른의 향기가 물씬 풍기던 그 웃음을 늘 좋아했습니다), 사촌의 안부를 물어왔습니다.

내가 딱히 뭐라 대답했는지는 기억나는 바가 없

exactement de quel travail il s'agissait, je me suis vite douté que c'était un travail dans le textile), c'est là que j'ai su que Dahlia était du même âge que moi et qu'elle prenait des cours particuliers à la maison en raison de son état de santé.

Le grand cousin semblait n'avoir rien à faire de son temps que de sortir toujours les mêmes histoires et après avoir fait une ou deux mauvaises blagues, il remontait dans son camion boueux de couleur mauve puis partait bosser toute la nuit. À l'époque, il travaillait dans une carrosserie à la périphérie du village. J'ai entendu dire qu'il gère maintenant un garage près de la gare.

Le jour de l'enterrement, je l'ai reconnu parmi les convives avec qui j'échangeais des politesses. Lui, de son côté, m'avait sans doute repéré depuis déjà un bon moment. J'ai bien cru ne jamais pouvoir le reconnaître avec sa teinture rose.

Les convives ont beaucoup jasé sur cette coiffure mais si j'avais été à la place du cousin défunt, qu'il se soit teint les cheveux en rose ou en bleu, cela ne m'aurait pas dérangé. Bien au contraire, comme tous les gens présents avaient les cheveux noirs assortis à des vêtements de deuil de la même couleur, cette tein-

습니다. 아마 적당히 잘 지낸다 둘러댔을 겁니다. 그러지 않는다면 내가 학교생활에 관해 유독 형편 없는 성적을 내고 있다는 사실을 시인하는 거나 다름없을 것이었으니까요.

사촌에 대한 질문이 끝나면, 그는 자연스레 달리 아에게 관심을 표하며 이런저런 이야기를 꺼내 왔습니다. 달리아의 가족이 아버지의 장기출장을 이유로 뜻밖의 이주를 했다는 것과 (그러고 보니 한 번도 그 리투아니아인 남자가 이 먼 곳까지 와서 무슨 일을 했는지는 묻지 못했습니다만, 아마 리넨과 관련된 일이었을 겁니다), 나의 또래일 것으로 추정 되는 그 여자아이가 건강상의 이유로 홈스쿨링을 하고 있다는 것까지, 모두 그를 통해 처음 알게 된 사실 입니다.

보통의 한가한 이웃이 그러하듯, 그 역시 했던 이 야기를 수없이 반복하고, 시답잖은 농담을 몇 마디 더한 뒤, 때가 잔뜩 낀 와인색 트럭을 몰고 야간작 업을 하러 떠나곤 했습니다. 당시 그는 마을 외곽의 한 자동차 제조 공장에 나가고 있었습니다. 지금은 역 근처에서 카센터를 운영한다고 들었습니다.

장례식에서 몇몇 익숙한 얼굴들과 성의 없는 인

ture m'aurait tout de suite donné l'occasion de remarquer mon très cher cousin. Je l'aurais même trouvé plutôt romantique.

En tout cas, je ne pense pas qu'il se soit teint les cheveux en rose pour la circonstance, je crois même plutôt qu'il n'a pas eu le temps de se les déteindre avant la cérémonie, cela paraît évident.

Peu après, nos regards se sont croisés et je lui ai fait un signe de tête amical qu'il m'a immédiatement rendu. C'est à cet instant précis qu'une fenêtre s'est ouverte et que nos deux univers si éloignés ont pu interagir.

Il a esquissé un sourire douloureux puis s'est effondré en pleurant. Je l'observais hypnotisé par les mèches roses qui se secouaient dans tous les sens.

Je me suis dit qu'il fallait que je passe le voir à son travail avant de m'en aller. J'emporterai avec moi une bouteille de whisky et pendant qu'il noiera son chagrin, je me laisserai aller en pensant à Dahlia. Je le quitterai au petit jour sur ces belles paroles :

"La nuit a été éprouvante et ses ombres pesantes, mais le coucher de soleil n'en a été que plus fabuleux, chaque ressac a secoué nos remords en nous gardant éveillés toute la nuit et voici que pointe à l'horizon l'aube d'un nouveau jour."

사를 주고받는 동안 그를 알아보았습니다. 그는 이미 꽤 한참 전에 나를 발견한 듯했습니다. 그는 솜사탕 같은 분홍색 머리를 하고 있었기에 어떻게 애초에 그를 발견하지 못할 수 있었는지 놀라울 따름이었습니다.

사람들은 연신 수군댔지만, 내가 그의 사촌이었으면 그가 머리를 분홍색으로 물들였든 파란색으로 물들였든 그에 대해 실망한다거나 하는 일은 일어나지 않았을 것 같습니다. 적어도 모두가 같은 머리 색을 하고 같은 색의 상복을 입고 있다는 이유로 사랑하는 사촌을 발견하지 못할 일은 없지 않을까요. 어쩐지 로맨틱한 것 같기도 하고요.

물론 그가 일부러 머리에 분홍색 물을 들이고 왔다기보다는 검게 염색할 겨를이 없었다는 가정 쪽이 더욱 가능성 있어 보이지만 말입니다.

얼마 가지 않아 그와 눈이 마주쳤고, 내가 고개를 살짝 끄덕이자 그가 답례했습니다. 그때 우리 사이에 우주와 우주를 넘나드는 문이 생기고, 나는 그렇게 잠깐의 시간 동안 세상과 교류하게 되었던 것 같습니다.

그는 고마움을 담아 샐쭉 웃다 이내 다시 울기 시작했고, 나는 넋을 놓은 채 분홍색 머리카락이 좌우

N.

로 흔들리는 걸 보고만 있었습니다.

하숙집으로 돌아가기 전에 그의 정비소를 방문해야겠습니다. 위스키 한 병을 놓고, 그가 그의 사촌에 대해 눈물로 떠드는 동안 나는 마음 놓고 달리아를 생각할 것입니다. 그리고 그 밤의 끝에 이렇게 인사하게 되겠지요.

'밤은 길고 그림자는 무거우나, 매일의 노을이 인상적이며 매번의 파도가 우리의 회한을 흔들어 깨우는, 또 다른 세상에 온 것을 환영합니다.'

N.

Vincent,

Je sens au fond de mon être que deux forces cherchent à la fois à s'opposer et à coexister, l'une me pousse à aller de l'avant alors que l'autre me retient. Du coup, je passe mon temps à essayer de maintenir un équilibre. Je veux à tout prix éviter d'être un problème pour les autres.

J'avais gardé en mémoire le dernier revers de mon adolescence comme quelque chose de vraiment très épuisant, une sorte d'interminable traversée, mais depuis que je suis revenu ici, cette fatigue semble devenue presque rassurante.

J'ai effectué ma première sortie depuis le jour de l'enterrement. Je me sens stupide de vous avoir menti l'autre jour mais aujourd'hui sachez que je suis vraiment sorti me promener avec ma mère.

Je l'ai suivie sur les petites routes de montagne qui serpentent près de la réserve d'eau en restant toujours un peu en retrait pendant toute la promenade. Le fait de marcher ainsi derrière elle m'a fait penser au mouvement qu'accomplissait la Lune autour de la Terre et

빈센트,

아무래도 내 안에는 나를 이끄는 외부의 힘과 되레 주저앉히는 내부의 힘이 무척 능청스럽게 상생하고 있는 것 같습니다. 그 균형을 지키는데 전력을 다하기 위해 대부분의 시간을 멍하니, 혹은 잠든 채 보내고 있습니다. 여전히 아무에게 아무런 해를 끼치지 않은 채 말입니다.

긴 여행 같았던 사춘기의 마지막 자락이 내게 남긴 건 지독한 피로였다고 생각했는데, 막상 고향으로 돌아왔을 때 나를 반긴 것은 요람만큼이나 익숙하고 정다운 권태였지 뭡니까.

장례식 이후 처음으로 외출을 했습니다. 일전에 당신에게 거짓말을 한 것이 마음에 걸렸기에, 오늘은 정말 어머니를 따라 산책에 나섰습니다.

저수지를 둥글게 감싸 안은 산길 사이로 보였다 사라졌다 하는 어머니의 모습을 지켜보며, 나는 내내 조금 뒤떨어져 걸었습니다. 그녀를 따라 걸으며 지구와 달에 대해 생각했습니다. 그리고 모체와 보

aux peluches qui tournoient dans la matrice.

Tout l'après-midi a été d'un ennui mortel. Les jours suivants, j'étais bien incapable d'entreprendre quoi que ce soit.

Et maintenant que j'y pense, je ne suis toujours pas passé voir le grand cousin au garage. Les jours se sont écoulés sans que j'aie pu trouver un moment où le caser. J'en ai déduit que les principes d'inertie peuvent peut-être aussi s'appliquer à la déprime.

Vos paroles me manquent. Je n'ai encore trouvé personne qui a votre cœur.

Bien affectueusement,

N.

풀에 관해 생각했습니다.

이루 말할 수 없이 먹먹한 오후였습니다. 그곳엔 모든 시간이 아무 저항 없이 한 페이지로 넘어간 것만 같았습니다.

그러고 보니 자동차 정비공의 사무실을 아직도 방문하지 않았습니다. 이래저래 권태만이 가득한 날들 사이를 기웃거리고 있습니다. 우울의 관성일까요.

당신이 나를 가엾게 여기던 마음이 그립습니다.

그 어느 곳에서도 당신만 한 마음을 찾을 수가 없었다는 말입니다.

사랑을 담아,

N.

Bonjour Vincent,

Je suis rentré chez moi en titubant à moitié ivre. Et brusquement, la fenêtre de Dahlia s'est ouverte en grand et le vent glacé qui balayait la ruelle a tiré son rideau blanc vers l'extérieur, c'est alors que j'ai vu une silhouette sortir de la fenêtre comme si elle cherchait à fuir un monstre. Le voilage a commencé à danser sous le clair de lune.

En voyant cette scène, je me suis dit que la tristesse m'avait rendu complètement fou.

Dahlia et moi étions deux enfants solitaires qui passaient leur temps à se réfugier chacun derrière sa fenêtre en essayant toujours de savoir ce que faisait l'autre dans le secret de sa chambre. Notre relation était faite d'une innocente pureté. Je lui plaçais de temps à autre un paquet de figues sous sa fenêtre et en retour, elle déposait dans mon panier à vélo des biscuits au gingembre que sa mère passait au four.

Nous ne parlions pas la même langue, chacun vivait de son côté lové dans son petit monde intérieur.

Pendant que Dahlia faisait sans sourciller le ramadan avec sa mère qui était musulmane j'allais à

안녕, 빈센트,

술에 취해 반쯤 흐느적거리며 귀가하던 참이었습니다. 난데없이 달리아의 창이 골목을 향해 활짝 열렸고, 때마침 골목을 스치던 바람은 마치 그것을 찾고 있었다는 듯 하얀 속커튼을 골목으로 끄집어 냈으며, 커튼은 무언가로부터 달아나려는 사람처럼 다급히 창을 뛰쳐나왔습니다. 그리곤 달빛 아래서 춤을 추기 시작하는 게 아니겠어요.

누구라도 그 장면을 보았다면 슬픔으로 정신이 혼미해졌을 겁니다.

달리아와 나는 그저 서로의 창으로 서로를 훔쳐보고, 그 은밀한 행동을 허락하는 것으로 외로움을 연대하던 아이들이었습니다. 우리가 바란 건 소박한 것이었습니다. 가끔 그녀의 창 밑에 무화과를 한 봉지 가져다 놓으면, 그녀는 자기 어머니가 구운 생강 비스킷을 내 자전거 바구니에 담아두어 보답하는 것이 우리가 관계하는 방식이었습니다.

그녀와 나는 언어가 달랐고, 눈동자 속에는 서로 다른 세계를 품고 있었습니다.

la messe du dimanche en traînant des pieds avec la mienne. Mais une fois à l'extérieur, mes yeux se posaient sur sa fenêtre et je me redressais d'un seul coup sur mes deux jambes, puis partais à l'église d'un pas plus décidé que jamais. Cela m'était bien égal qu'on me prenne pour un vaurien ayant perdu la foi.

Lorsque Dahlia faisait le jeûne, il y avait en elle une grâce inhabituelle qu'on ne trouve pas chez les autres enfants. Elle voyait l'épreuve de la faim comme quelque chose de banal, un peu comme un devoir de vacances.

Chaque fois que je la voyais assise au bord de sa fenêtre, vulnérable et somnolente, je sentais en moi monter un désir si intense que je me voyais contraint ensuite à devoir nettoyer le cuir de la Bible. D'avoir été témoin de sa vie m'a aidé à endurer le calvaire des prières à faire à l'aube et avant tous les repas.

Elle et moi avons été l'un pour l'autre d'un soutien si fort dans les moments pénibles que nos peines sont devenues indolores.

L'une de nos grandes occupations consistait à attendre derrière nos fenêtres la professeur américaine qui devait passer sur le chemin de l'école. C'était l'épouse d'un officier envoyé en mission sur la base américaine la plus proche. Chaque fois qu'elle me voyait le matin,

그녀는 무슬림이었던 어머니를 위해 기꺼이 라마단 기간의 금식 수행에 동참하곤 했는데, 그 사실을 전해 들은 나는 주말 예배에 끌려나가며 그녀의 창문을 한번 올려다보는 것만으로도 얼마나 발걸음이 가벼워질 수 있는지 깨닫고는 깜짝 놀랐습니다. 신을 저버린 후레자식이라고 욕을 들어먹는 것도 더는 아무렇지 않았습니다.

그녀의 금식에는 보통의 어린아이에게서 찾아볼 수 없는 우아한 기품이 있었습니다. 그녀에게 배고픔이란 고통의 범주에도 들지 못하는 하찮은 마음으로, 자신의 어머니를 위해 기꺼이 해치울 수 있는 방학 숙제와도 같은 행사였던 것입니다.

그녀가 힘없이 나른한 모습으로 창가에 앉아있을 때마다 나는 이상하리만치 성장에 대한 격렬한 갈망을 온몸이 떨릴 정도로 느끼며, 성경책의 가죽 표지를 깨끗하게 닦아두곤 했습니다. 그녀의 삶을 목격한 뒤로는 식전 기도도, 새벽 예배도 모두 견딜 수 있게 되었단 말입니다.

연대하는 마음은 과연 가장 우아한 마음이며, 고통이 우리에게 고통을 주지 못한다면 그건 더는 고통일 수 없다는 사실을 깨달았기 때문이겠지요.

등굣길에 미국인 가정교사가 그 집으로 들어가

elle me souriait aimablement et me disait bonjour de manière maladroite. C'était une vraie aubaine de l'avoir comme professeur particulier sachant qu'à cette époque cela ne courait pas les rues. Dahlia sortait parfois dans la ruelle pour aller à sa rencontre. Chaque fois que je l'apercevais se promener dans le quartier, je détalais comme un lièvre jusqu'à ce que j'aie le souffle coupé. L'amour que je commençais à éprouver pour elle me rendait tellement maladroit et nerveux que j'avais la hantise de tout gâcher rien qu'en posant mes yeux sur elle.

Nous étions deux enfants timides, la plupart du temps cachés derrière des rideaux. Je laissais ma chambre éclairée le plus tard possible pour qu'elle puisse me voir et ne m'endormais qu'après m'être assuré que sa lumière à elle soit bien éteinte. Elle avait un jour déposé un vase près de la fenêtre puis s'était assise sur la balustrade pour jouer du violon. La rose dont elle prenait grand soin est restée en fleur plusieurs semaines. Une fois qu'elle a été fanée, un autre bourgeon a pris le relais et lui aussi, a donné une rose qui est restée magnifique très longtemps.

Enhardi par l'effet de l'alcool, je me suis hissé jusqu'au niveau sa fenêtre au premier étage car je voulais voir de plus près ce que je voyais de ma propre

는 걸 훔쳐보는 것 역시 중요한 일과 중 하나가 되었습니다. 그 교사는 마을 근처 미군 부대에 장교로 파견된 남편을 따라온 젊은 여자로, 나와 골목에서 마주칠 때마다 밝게 웃으며 어설픈 우리말로 아침 인사를 해왔습니다. 아마 이 촌구석에서 그 이상의 가정교사를 구하는 것은 불가능했을 겁니다. 달리아는 가끔 골목 밖까지 가정교사를 배웅하러 나오기도 했습니다. 나는 동네를 느린 걸음으로 산책하는 그녀를 발견할 때마다 폐가 터질 정도로 숨차게 달아나곤 했습니다. 아마 사랑이라는 낯선 감정 앞에서 제 딴에는 나름 치열하게 저항해보았던 것 같습니다.

우리는 대부분의 시간을 커튼 뒤에 숨어있을 정도로 수줍음이 많은 아이들이었습니다. 나는 그녀가 언제든 내 모습을 볼 수 있도록 방에 불을 환히 밝혀두었고, 그녀의 방이 온전히 어둠 속에 잠긴 뒤에야 잠이 들곤 했습니다. 그녀는 늘 창가에 꽃병을 올려두었고, 난간에 걸터앉아 바이올린을 연주하기도 했습니다. 한번은 그녀가 소중히 보살핀 장미꽃 한 송이가 몇 주를 살아남은 적도 있었습니다. 꽃이 지기 무섭게 새로운 봉오리가 활짝 피어나고는 오래도록, 정말 오래도록 창에 머물렀더랬습니

chambre, au bout du compte, je suis rentré chez moi plus misérable que jamais.

La plaie saigne encore comme si la coupure datait d'hier. C'est un être que je ne reverrai plus jamais. Pourquoi a-t-elle ouvert la fenêtre puis s'est enfuie ? Est-elle devenue une âme en peine ? Où est-elle partie ? Est-ce qu'elle était triste au moment de s'en aller ? Elle a sûrement dû avoir très peur.

Vincent, je ne reverrai plus jamais la scène qui se trouvait à l'intérieur de ce cadre de fenêtre, tout est atrocement vide et dire que je n'ai même pas eu l'occasion de dire au revoir au portrait de la jeune fille qui s'y trouvait assise.

Est-ce que les autres sont comme moi, obligés de vivre avec un cœur brisé ? C'est une peine que personne ne peut ni ne veut comprendre et avec laquelle je dois composer. Dans le creux de la vague, au-delà des virages, abrité sous un pan de toiture, entre chaque soubresaut du wagon, mon doux chagrin s'installe...

N.

다.

　당장에라도 술기운을 빌려 2층 창에 매달려 그녀가 보고 있었을 풍경을 확인하고 싶은 마음을 억누른 나는, 조금은 비참한 심정으로 귀가했습니다.

　여전히 그녀와의 이별을 마치 어제의 일인 양 체감하고 있습니다. 다시는 만날 수 없는 존재. 그녀는 왜 기어이 그 창을 열고 나와 그리 슬픈 존재가 되었을까요? 그녀는 어디로 갔을까요. 그녀는 그 찰나에 슬픔을 느꼈을까요? 그녀는 아마 두려웠을 겁니다.

　빈센트, 나는 다시는 그 풍경을 볼 수 없습니다. 그 창의 내부는 영원히 비어버리고 말아, 다시는 그 안의 존재에게 인사할 수 없는 겁니다.

　다들 이 정도의 슬픔은 안고 살아가는 것이겠지요? 아무도 이해할 수 없고 이해하려 하지 않으며, 나 자신마저도 어찌할 수 없는 그런 슬픔 말입니다.

　파도의 높고 낮은 곳 사이, 돌아친 모퉁이 너머, 들어선 지붕 아래, 기차 식당칸의 흔들리는 모든 틈 사이에 웅크리고 앉아있는 정다운 슬픔을……

N.

Bonjour Vincent,

So-eui est venue me rejoindre ici. Elle m'a appelé
tôt ce matin.

"J'ai trouvé une chambre à quelques pas de la gare.
Je n'aime pas trop m'éloigner lorsque je vais dans
un endroit que je ne connais pas. Cela me permet
de partir à tout moment au cas où il y aurait un pé-
pin. J'aimerais bien te voir si tu n'as rien de prévu.
Aujourd'hui, le ciel a l'air dégagé, on pourrait admirer
ensemble le coucher de soleil."

Je ne me rappelle pas avoir été un jour invité à ce
genre de spectacle. J'ai soudain ressenti une grande
nostalgie pour la pension.

Elle a dû arriver hier au soir. Je l'imagine debout
toute la nuit, à moitié plongée dans la pénombre sur
le balcon de son hôtel en train de fumer cigarette sur
cigarette et de boire du whisky, cette vision a chassé
le reste de fatigue de la veille et j'ai commencé à avoir
la gorge sèche. Je crois bien me souvenir qu'il y a des
bouteilles planquées quelque part ici.

Au lieu de lui demander ce qu'elle est venue faire, je
lui ai promis de dégager du temps pour le passer avec

안녕, 빈센트,

소의가 이곳에 내려왔습니다. 이른 아침부터 전화가 울렸지요.

"역에서 멀지 않은 곳에 숙소를 구했어. 모르는 도시에 오면 가급적 시내에 머물거든. 역이 멀지 않아야 언제든 다시 떠날 수 있다는 사실에 안도할 수 있달까. 네가 저녁에 약속이 없다면 만나면 어떨까 싶어. 날씨가 좋으니 해가 저무는 하늘을 보고 싶어."

기억이 맞다면 나는 이런 식의 초대를 받아본 적이 없습니다. 나는 불현듯 하숙집에 대한 강렬한 향수를 느꼈습니다.

그녀는 이미 어젯밤부터 이곳에 도착해 있었을 겁니다. 어쩌면 호텔의 어두컴컴한 발코니에 우두커니 서서 밤새 위스키를 마시며 담배를 피웠을지도 모르지요, 라고까지 생각이 닿자 지난밤 고단함의 잔해가 눈 녹듯 사라지며 갑자기 목이 타기 시작했습니다. 그나저나 이 집에 술이 있었던가요?

나는 그녀가 도대체 이 한적한 동네에서 무얼 하

elle. Elle m'a indiqué juste une partie de l'adresse de l'hôtel et a ensuite raccroché.

D'ores et déjà je sais que je vais passer toute la journée à me demander comment m'occuper l'esprit jusqu'au soir. Je ne veux pas rester planter dans le salon en attendant que le soleil se couche.

Peut-être qu'une sieste me ferait du bien ? Après tout, la nuit risque d'être longue.

So-eui est la seule personne à pouvoir chambouler ma journée de cette façon. Mais ne vous en faites pas, elle maîtrise bien mieux que moi le concept du temps. Je ne me perdrai pas en chemin.

N.

고 있느냐고 묻는 대신 기꺼이 저녁 시간을 비워두 겠다는 답을 주었습니다. 그녀는 내게 호텔 주소를 반쯤 읊고는 전화를 끊었습니다.

저녁까지 무얼 할지 새삼스레 고민해봐야겠습니 다. 거실을 서성이며 해가 지기만을 기다리다 반쯤 지친 상태로 외출하고 싶지는 않거든요.

아무래도 낮잠을 자두는 게 좋겠지요? 긴 밤이 될 것 같으니까요.

하루의 낮을 이런 식으로 삭제해버리는 건 소의 만이 할 수 있는 일일 겁니다. 하지만 시간의 개념 을 나보다 잘 이해하고 있는 것 역시 그녀이니, 부 디 염려는 말아요. 길을 잃지 않겠습니다.

N.

Bonjour Vincent,

So-eui et moi avons dîné dans un restaurant vietnamien qui est tenu par un vrai couple de Vietnamiens, les menus fluorescents étaient affichés au mur, l'éclairage intense, les baguettes en plastique et les tables bruyantes, tout ce décorum m'a étourdi. J'aime beaucoup les restaurants où l'on vous apporte d'affilée les plats chauds qui régalent les papilles.

Pendant qu'elle était en train de manger, je lui ai parlé des funérailles, du grand cousin garagiste ainsi que de la ville.

Elle m'a dit qu'elle voulait voir la forêt qui se trouvait en bordure, je lui ai dit que je l'y emmènerai dès le lendemain. Oui, c'est bien la même forêt dans laquelle vous et moi avions l'habitude de nous perdre.

Vers la fin du repas, j'ai commandé deux bouteilles de bière que nous avons bues lentement. Ensuite, nous nous sommes levés de table, le soleil était déjà couché mais cela n'a pas semblé la gêner. Nous nous sommes dirigés vers la gare. Les lumières étaient à moitié éteintes plongeant l'intérieur de la station dans une semi-obscurité. Cette situation me rendait perplexe :

안녕, 빈센트,

소의와 나는 베트남 식당에서 저녁을 먹었습니다. 실제 베트남인 부부가 운영하는 식당으로, 형광색 메뉴판과 밝은 조명, 플라스틱 젓가락과 시끄러운 테이블들 뭐 그런 것들이 주는 산만함에 살짝 기가 죽어 있으면, 뜨거운 음식들이 쉬지 않고 나오면서 마음을 달래주는 그런 고마운 식당입니다.

그녀가 조용히 식사를 즐기는 동안, 나는 장례식과 자동차 정비공의 존재, 그리고 마을에 대해 떠들어댔습니다.

그녀는 교외의 숲에 관심을 보였고 나는 내일 그녀를 그곳에 데려가기로 약속했습니다. 맞아요. 당신과 내가 길을 잃곤 하던 바로 그 숲입니다.

어느 정도 식사가 마무리될 무렵 맥주 두 병을 시켜 천천히 마셨습니다. 자리를 털고 나왔을 때 해는 이미 졌지만 그녀는 딱히 개의치 않는 듯했습니다. 우리는 역을 향해 걸었습니다. 역은 불의 반은 끄고 나머지 반은 켜 둔 채 덩그러니 어둠을 지키고 있었습니다. 문득 궁금해진 내가 물었습니다.

"Pourquoi ont-ils laissé la moitié des feux allumés ?"

Elle haussa les épaules et me répondit :

"Sans doute pour réduire les frais d'électricité, non ?"

"Dans ce cas, il aurait mieux valu tout éteindre."

"Ah oui ? Et comment font les trains de nuit pour traverser cette ville ?"

Elle n'avait pas tort.

"Tu as raison."

"Sais-tu qu'un jour, un homme a sauté d'un train en pleine nuit pour une raison inconnue et qu'il a réussi à se diriger à pied jusqu'à la gare la plus proche uniquement grâce aux lumières qu'il apercevait au loin ?"

"Ce n'est pas possible !"

Ma réponse ferme la fit rire. Son rire me faisait penser à la pluie qui tombe sur l'asphalte brûlant.

Nous avons sorti deux canettes de soda du distributeur et nous nous sommes assis sur un banc dans le parking, puis nous avons regardé les voies ferrées. Il avait fait un temps glacial toute la journée, le vent a fait frissonner mon corps l'espace d'un instant.

"Ne sois pas trop triste pour ton ami."

"À vrai dire, ce n'était pas vraiment mon ami."

Après avoir pris le temps de réfléchir, elle reprit la parole :

"왜 불의 반을 켜 둔 걸까?"

그녀는 어깨를 한번 들썩이며 대답했습니다.

"운영비를 줄이려고?"

"그럴 바엔 죄다 꺼버리면 되잖아."

"야간열차가 이 동네를 지나갈 수도 있으니까?"

나는 그에 동의했습니다.

"그렇군."

"그리고 혹시 알아? 낮에 피치 못할 사정으로 열차에서 뛰어내린 한 남자가 저 불빛만을 바라보면서 밤을 새워 이곳을 향해 걸어오고 있을지."

"그건 가능하지 않아."

내 단호한 대답에 그녀는 생긋 웃었습니다. 뜨거운 아스팔트 위로 후드득 떨어지는 소낙비 같은 웃음이었습니다.

우리는 자판기에서 탄산음료 두 캔을 뽑아 주차장 벤치에 앉은 채 철길을 내려다보았습니다. 날은 무척 쌀쌀했고 순식간에 으슬으슬한 감기기운이 몸을 감쌌습니다.

"친구 일은 정말 안됐어."

"엄밀히 따지자면 내 친구는 아니었어."

그녀는 골똘히 생각에 잠겨 다시 말했습니다.

"나는 죽음이 이해되지 않아."

"Je ne comprends pas la mort."

Après avoir avalé le repas chaud du restaurant vietnamien, la mort n'avait plus vraiment d'intérêt à mes yeux, je regardais un peu bêtement la voie ferrée qui se trouvait en contrebas. Elle m'a soudain demandé :

"Et si nous prenions le premier train de nuit qui passe ?"

Je lui ai répondu :

"Pour quoi faire ?"

"Partir d'ici."

"Dans ce cas, on peut très bien attendre demain matin, on aura un train chauffé avec un wagon-restaurant."

"Tu es sûr qu'il y aura encore d'autres matins ?"

"Pourquoi n'y en aurait-il pas ?"

Puis elle ajouta :

"Je ne suis pas la seule à ne pas comprendre la mort."

Ses mots me rappelèrent que la mort m'était à moi aussi quelque chose de familier.

"Pourquoi es-tu venue me chercher jusqu'ici ?"

Elle a esquissé un sourire et s'est tournée de côté pour me répondre :

"Parce que j'avais peur que tu te laisses aller."

Elle a raison. Il n'y a rien de plus fort que ces après-

베트남 식당에서의 따뜻한 식사 이후로 죽음에 대한 흥미를 급격히 잃어버린 나는 그때까지만 해도 멍청하게 철길을 내려다보고 있을 뿐이었습니다. 그녀는 계속해서 대화를 이어갔습니다.

"야간열차가 지나가면 뛰어올라 타지 않을래?"

내가 되물었습니다.

"당최 무얼 하러?"

"이곳에서 벗어나는 거지."

"아침을 기다렸다가 식당칸이 딸린 따뜻한 열차를 타는 방법도 있어."

"너는 아침이 있을 거라고 확신해?"

"원칙적으로는."

그리고 소의가 말했습니다.

"나만 죽음을 이해하지 못하는 건 아니구나."

그렇게 그녀는 나를 다시 정겨운 죽음 앞으로 데려다 놓았습니다.

"왜 이곳까지 나를 데리러 온 거야?"

나의 물음에 그녀는 새초롬하게 웃은 뒤 이렇게 덧붙였습니다.

"고향에서는 우리 모두 쉽게 길을 잃으니까."

맞습니다. 세수도 하지 않은 얼굴로 후줄근한 셔츠를 입은 채, 프라이팬에서 바로 튀긴 설탕 도넛이

midis paisibles passées à manger, le visage sale, la chemise froissée, des crêpes ou de beignets au sucre frits à la poêle, pour me faire oublier toutes mes peines. Qu'est-ce qu'il y a de plus terrible ? C'est une vie qui a laissé de côté la tristesse et rien que d'y penser cela me fait déprimer.

Nous avons passé la nuit à se réchauffer dans sa chambre d'hôtel jusqu'au matin puis nous sommes de nouveau sortis en se tenant la main. Nos deux matinées se sont mélangées l'une à l'autre jusqu'à devenir chaotiques et ne former plus qu'une masse compacte.

Nous marchions vers la forêt comme si nous n'avions plus rien à nous dire. Comme tous les hivers, la forêt libérait des craquements de toutes sortes, ce qui n'enlevait en rien le plaisir de voir la lumière du matin remplir une à une les interstices présentes entre chaque branche, chaque feuille d'arbre.

Au moment où j'ai pensé à vous et au manque qui me perce le cœur, je lui ai pris la main en lui disant :

"Les gens d'hier sont tous morts cette nuit. Il ne reste plus que toi et moi dans ce lieu."

Elle a alors chuchoté :

"Ma mère est morte quand j'avais six ans. C'était un dimanche matin, elle s'est précipitée à l'extérieur de la maison et n'est plus jamais rentrée. Tout le reste est

나 구운 팬케이크 따위를 먹는 평화로운 오후의 힘은 너무나도 강해서, 마치 정말 아무 일도 일어나지 않았던 것처럼 모든 슬픔을 잊게 할 것입니다. 그렇게 위험한 일이 또 있을 수 있을까요? 슬픔을 망각한 삶이라니, 생각만 해도 울적해지는 것 같습니다.

우리는 그대로 그녀가 묵는 호텔에 몸을 녹이러 들어갔다, 두 아침이 만나는 지점에서 다시 손을 잡고 밖으로 나왔습니다. 그녀의 아침과 나의 아침은 혼란스럽게 섞인 채 단단히 굳어져, 어느덧 온전한 하나의 덩어리로 존재하고 있었습니다.

숲을 향해 걷는 동안은 별다른 이야기를 나누지 않았던 것 같습니다. 겨울의 숲은 늘 그렇듯 푸석푸석했지만 나무 사이의 틈이 아침의 뽀얀 빛으로 채워지는 걸 바라보는 건 언제나 참으로 즐거운 일입니다.

나는 당신에 대한 그리움이 마음에 차오르는 것을 느끼며 그녀의 손을 꽉 움켜쥐었습니다.

"어제의 사람들은 간밤에 모두 죽어버렸어. 이곳엔 이제 우리뿐이야."

그녀가 속삭여왔습니다.

"우리 엄마는 내가 여섯 살일 때 죽었어. 일요일 아침이었고, 엄마는 어디를 분주하게 나갔다가 돌

devenu flou, je ne me souviens que de la porte d'entrée qui ne s'était pas bien refermée après elle et je sens encore l'odeur de la pluie qui venait du dehors. J'ai passé mon temps à ressasser cette scène maintes et maintes fois dans ma tête. Pour moi, la mort, ce n'est ni plus ni moins que cette scène de départ précipité : quelqu'un qui prend la porte et ne revient plus. On dit que les jours de la semaine se suivent et que le beau temps arrive après la pluie mais la porte qui a englouti ma mère ne me la rendra pas et ne peut être remplacée. J'aurais pu moi-même sortir et essayer de la retenir mais j'ai préféré rester à l'attendre. Je me disais qu'elle allait forcément revenir tôt ou tard et je ne voulais absolument pas manquer ce moment."

Je sentais que So-eui se détendait au fur à mesure que la matinée avançait. Nous sommes rentrés à l'hôtel en se gardant bien de parler.

Comme nous nous sentions un peu fiévreux à cause de la soirée passée dans le froid, nous avons été à la cafétéria de l'hôtel prendre une soupe à la crème, un sandwich au jambon-beurre et au fromage et en guise de dessert, des pilules Tylenol que nous nous sommes partagées dans la chambre d'hôtel. Puis nous nous sommes allongés sur les draps blancs comme deux corps morts qui reposent enfin en paix. Je ne saurais

아오지 않았지. 다른 건 다 흐릿한데 엄마가 미처 닫지 못한 현관문과 그 사이로 쏟아지던 비 냄새는 기억하고 있어. 아마 그 풍경을 그리고, 그리고, 또 그려온 탓이겠지. 내게 죽음은 그런 거야. 누군가 갑자기 문을 열고 나가서는 돌아오지 않는 거. 일요일은 월요일과 정해진 시간에 자리를 바꾸고, 소나기가 적시고 간 땅은 곧 다시 마르지. 하지만 문을 열고 나간 하나의 세월은 다시는 돌아오지도 대체되지도 않아. 물론 그 뒤를 따라나설 수도 있었지만, 그래선 안 된다고 생각했어. 엄마가 허겁지겁 집으로 돌아오는 길이라면 영영 엇갈리게 될지도 모르니까."

아침이 완벽하게 우리를 에워쌌을 때 소의는 한결 편안한 얼굴이 되었고, 우리는 남은 말을 뱃속에 삼킨 채 호텔로 돌아왔습니다.

둘 다 간밤의 여행으로 약간의 미열이 있었기에, 호텔의 작은 식당에 들러 크림수프와 싸구려 버터를 바른 햄 치즈 샌드위치로 간단히 식사를 하곤 타이레놀을 두 알 얻어 사이좋게 나눠 먹은 뒤, 마치 그대로 사라져 버릴 사람들처럼 나란히 하얀 침대 위에 누워 깊은 잠에 빠졌습니다. 정말 얼마간 죽었다 깨어났는지도 모를 일입니다. 그리고 다시 눈을

dire combien de temps a duré cette profonde sieste.

Quand j'ai rouvert les yeux, il m'a semblé que le temps était revenu à mes côtés.

J'étais seul dans la chambre et le radio-réveil posé sur la table indiquait onze heures. Je ne sais pas pourquoi, mais la radio était allumée, apparemment So-eui avait fumé quelques cigarettes avant de partir et avait jeté négligemment ses mégots sur le balcon.

Rassuré de voir les marques tangibles de sa présence, j'ai fait réchauffer le café dans le micro-onde.

Ensuite, je suis sorti sur le balcon observer la gare et la voie ferrée. L'image d'un train qui venait de quitter la ville est restée gravée un moment dans mon esprit. J'étais ainsi occupé à regarder la gare lorsque le téléphone s'est mis à sonner.

Vous vous demandez bien si j'ai oui ou non décroché mais je me réserve le droit de ne pas répondre.

Rempli de ce matin,

N.

떴을 때, 어쩌면 시간이 나의 편으로 돌아와 있을지
도 모른다는 생각이 들었습니다.

호텔 방에 나는 혼자였고, 탁상 위의 전자시계는
열한 시 정각을 가리키고 있었습니다. 왜인지 모르
겠으나 라디오가 켜져 있었고, 소의가 피우다 버린
듯한 담배꽁초 몇 개비가 발코니에 아무렇게나 흐
트러져 있더군요.

그녀의 흔적에 나는 지나칠 정도의 안도를 느끼
며 식어 빠진 커피를 전자레인지에 넣고 돌렸습니
다.

발코니로 나가보니 역과 철도가 보였습니다. 도
시를 갓 떠난 기차의 형체 없는 잔상이 오래도록 그
언저리를 맴돌았습니다. 그즈음이었던 것 같습니
다. 다시 전화가 울리기 시작한 것이.

왜 그토록 수화기를 들지 못했냐는 물음에는 긴
답이 필요할 테지요.

오늘의 아침을 가득 담아,

N.

Vincent,

Votre forêt était tellement paisible. Vous étiez devenu le témoin de chaque instant de ma vie dès l'heure où se creusait en moi un précipice infranchissable entre la vie et la non-vie, vous n'avez jamais cherché à me juger ni lorsque j'étais amorphe, ni lorsque je prenais les choses trop au sérieux.

Votre temple n'imposait aucune règle de conduite, aucun règlement, tout n'était qu'une question d'ajustement. Vous étiez à la fois les réponses et les questions que je me posais.

Après que Dahlia ait cessé définitivement d'apparaître derrière la fenêtre, j'ai dû me résoudre à l'idée que je ne pourrai plus retourner à ma vie d'avant. Je venais d'apprendre que l'existence était quelque chose d'éphémère et je ressentais depuis une tension intérieure qui me poussait à accepter cette réalité qu'on cherche tous à nier.

Je partais vous rejoindre toutes les nuits tel un somnambule errant dans la forêt, je savais que vous m'y attendiez. J'étais devenu l'ombre de moi-même que ce soit à la maison ou bien en cours.

빈센트,

빈센트의 숲에서는 모든 것이 평화로웠습니다. 당신은 나와 삶 사이에 깊은 균열을 만든 권태에 대해 그 어느 순간에도 나무라는 법이 없었고, 나의 무기력함에도, 내가 지나치게 진지해지는 순간에도, 당신은 그저 모든 순간의 목격자로서 자리를 지켰습니다.

아무런 규율도 규칙도 없는 당신의 사원에서는 모든 것이 정답이었습니다. 당신의 존재 자체가 크나큰 질문에 대한 크나큰 정답이 될 수 있었습니다.

달리아가 결국 다시는 창 사이로 모습을 드러내지 않았듯, 나 역시 결코 이전의 삶으로 돌아갈 수 없게 되었습니다. 삶의 덧없음을 목격한 증인으로서 내게 남은 건 사람들이 부정하려 하는 것들을 인정하면서 생기는 내면의 거친 반동뿐이었다고 할 수 있겠습니다.

매일 밤 소리 없이 집을 기어 나와 당신을 찾아온 숲을 헤매는 나를, 당신은 한 번도 돌려보내는 일이 없었습니다. 나는 학교에서도 집에서도 깊은

Plus rien ne faisait sens, ma vie était devenue le prolongement d'un rêve sans fin.

Et puis un jour, on m'a emmené dans ce cabinet de docteur. Un endroit rempli d'odeur de moisissure. Cela venait peut-être du tapis de sol mauve qui n'avait pas été lessivé depuis plusieurs années. La salle où je me trouvais comportait étrangement trois fauteuils de taille différente, je ne savais pas dans lequel je pouvais m'asseoir jusqu'à ce que la femme médecin m'ait demandé de me mettre à l'aise.

Finalement, je me suis décidé à m'asseoir sur le siège qui était juste en face d'elle, cela l'a fait sourire puis elle a lu le rapport médical rédigé par un autre médecin. Je n'étais pas pressé d'en connaître le contenu. J'avais l'impression d'être devenu un enfant problématique qu'on venait d'appeler au bureau du proviseur.

Après avoir lu le rapport, la femme médecin a poussé un long soupir, ce qui a provoqué chez moi, et ce, malgré la gravité de la situation, un fou rire tellement incontrôlable qu'il a fallu que je sorte du cabinet en laissant mes parents en tête-à-tête avec elle. Le lieu s'est alors transformé pour eux en un tribunal où Madame la Juge m'accordait des circonstances atténuantes pour

잠에 빠진 사람처럼 행동했습니다. 꿈속에서 벌어지는 일들에 의미가 있을 리 만무했으니까요.

문득 어느 날 '그 방'에 놓였습니다. 퀴퀴한 묵은 먼지 냄새가 가득한 방이었습니다. 아마도 10년은 세탁하지 않은 것 같은 보라색 카펫 때문인 듯했습니다. 무슨 이유인지 방에는 크기가 각기 다른 세 개의 소파가 있었고, 의사는 내게 편한 자리에 앉으라고 말했으나 어느 의자도 구미가 당기지 않았습니다.

내가 마침내 그녀의 맞은편에 앉기로 했을 때, 그녀는 온화하게 웃으며 내 주치의가 전한 편지를 집어 들었습니다. 딱히 그 내용이 궁금하지는 않았습니다. 다만 굉장한 문제아가 되어 교무실에 상담을 받으러 온 기분이 들었을 뿐이지요.

편지를 끝까지 읽은 그녀는 짙은 한숨을 내쉬었고, 하필 나는 그 상황에 웃음이 나왔으며, 내가 웃음을 터트린 이후로 부모님은 나보다 더 오랫동안 그 방에 갇혀있어야만 했습니다. 그곳은 그들에게 법정과도 같은 곳이 되어버렸고, 나는 그렇게 판사로부터 삶을 반쯤 유기한 것에 대한 일종의 면죄부를 받게 되었습니다. 결국 권태에 대한 정당한 권리

avoir délaissé la vie. On me reconnaissait le droit d'être malade.

Mes parents n'avaient plus à me forcer à jouer un rôle. Les paroles de la femme médecin sont restées en travers de la gorge de mon père qui aurait laissé exploser sa colère si ma mère ne l'avait pas retenu d'un coup de coude.

Je suis monté au septième ciel dès que j'ai su qu'on me considérait comme un parfait inadapté. C'est la mort de Dahlia qui m'avait donné des ailes. La douleur qu'elle avait provoquée chez moi me dégageait de toute responsabilité, j'étais désormais hors d'atteinte de mes parents.

La thérapie que j'ai suivie a duré plusieurs saisons, cela m'a permis de faire des allers-retours entre le monde et le non-monde comme si je traversais un long tunnel mystérieux.

Au bout du tunnel, je savais que j'allais vous perdre de vue.

Cela ne m'a pas surpris. Est-ce que j'aurais pu le prévoir ? C'était évident, je le savais d'avance. Je savais déjà tout d'avance. Je savais dès le départ que vous n'étiez rien d'autre qu'une illusion, un simple produit de ma solitude.

를 얻어내고 만 것입니다.

내 가족은 더는 나에게 그 어떤 역할도 강요할 수
가 없게 되었습니다. 아버지는 여전히 입술 끝에 뱉
고 싶은 말을 머금고 살았으나 어머니가 조용히 팔
꿈치를 잡아끌면 그저 모든 말을 삼킬 수밖에 없었
지요.

나는 그렇게 사회에 대한 완벽한 부적응자로 인
정받아, 높이 높이 비상하게 되었습니다. 그런 내게
날개를 달아준 건 달리아였습니다. 그녀에 대한 슬
픔을 연료 삼아, 나는 나에 대한 모든 책임을 내려
놓고 과감히 물러나게 된 것이지요.

수차례, 혹은 수십 번, 깊이를 알 수 없는 긴긴 터
널 같던, 이 세계와 저 세계를 잇는 다리 같던 그 테
라피는 여러 번의 계절을 건넌 후에야 끝이 났습니
다.

그리고 터널의 끝에서 나는 약속한 것처럼 당신
을 잃었습니다.

나는 별로 놀라지 않았습니다. 나는 알고 있었을
까요. 아무렴. 나는 알고 있었습니다. 나는 모든 것
을 알고 있었습니다. 당신이 다름 아닌 내 외로움이
빚어낸 환영이었다는 사실을요.

Pourtant, j'ai horriblement souffert de vous avoir perdu. C'était une perte différente de la perte de Dahlia. La différence entre le fait d'accepter de voir disparaître un être réel et un être non réel est incommensurable.

Vous étiez toujours là mais je ne pouvais pas vous voir, moi aussi j'étais toujours là mais vous ne pouviez pas m'appeler. Une grande réalité nous séparait. C'était plus profond qu'une faille et plus haut qu'un tsunami qui vous ferait chuter de très haut avant de vous engloutir à jamais.

Après mon retour, sans le savoir, j'ai laissé ma tristesse heurter les gens autour de moi. J'avais beau rester silencieux comme une pierre, l'air qui m'entourait me faisait en réalité suffoquer, c'était devenu tellement intolérable que je passais mon temps à me demander comment j'allais m'en sortir.

Il n'y avait qu'une seule issue, c'était partir. Je ne savais pas où me cacher. Dahlia me suivait partout. Elle doit d'ailleurs probablement encore errer quelque part entre ce monde et le non-monde.

Je vous ai envoyé ces lettres en espérant vous retrouver un jour. Mais maintenant, je dois m'avouer vaincu. Je n'ai jamais eu le courage de décrocher le

그럼에도 당신을 잃는 건 세상의 언어로는 표현할 수 없는 깊은 손실이었습니다. 달리아를 잃은 것과는 또 다른 손실이었지요. 애초에 존재했던 것이 사라지는 것을 바라보는 것과, 존재했던 것이 존재한 적 없었다는 사실을 받아들이는 것에는 은하 한 바퀴만큼의 차이가 있으니까요.

당신은 여전히 그곳에 있었지만 나는 당신을 볼 수 없었고, 나 역시 계속하여 그곳에 머물렀지만 당신은 나를 부를 수 없게 되었습니다. 거대한 현실이 우리 사이를 갈라놓은 겁니다. 그것은 지진보다 더 깊고 해일보다 더 높이 우리를 꺼트리고 집어삼켰습니다.

상경한 뒤로도 줄곧, 나 자신도 이따금 알아차릴 수 없는 내 조용한 슬픔이 대체 누구에게 어떤 해를 끼치는지 이해할 수 없는 날들을 보냈습니다. 내 주변은 늘 쥐 죽은 듯 고요했지만 여전히 나를 감싸고 있는 공기는 지독하게 불편한 것으로, 나를 다시 올바른 궤도 위로 올려놓기 위해 호시탐탐 기회를 노리고 있었습니다.

하여 그저 몸서리를 한번 치고는 멀리 떠나는 방법밖에 없었지요. 어디로 가야 하는지 결코 알 수 없었습니다. 어딜 가든 달리아가 존재하기 때문이

téléphone. Même si je me suis senti terriblement seul, aujourd'hui, je ne veux plus perdre cette solitude.

J'ai décidé de devenir l'étoile triste dont vous m'avez parlé un jour. J'ai accepté cette destinée qui est naturelle et noble. Je ferai en sorte que mon chagrin devienne la preuve que Dahlia a bien épanoui ma vie.

Les gens verront Dahlia à travers moi. Et s'ils ne comprennent pas qui je suis, cela ne fait rien. De toute façon, personne au monde n'a jamais essayé de me comprendre autant que moi-même, qu'ai-je besoin de plus aujourd'hui ?

Vincent, je ne répondrai plus à vos appels. Je vais encore probablement me laisser envahir par ce sentiment de perte mais même si je vous ai autrefois créé dans la même tourmente, comment pourrais-je vous dire en face que ce dont je rêve maintenant est d'exister un tant soit peu dans ce monde-ci ?

Je dois refermer la fenêtre, traverser les rails et la rivière pour atteindre la rive qu'est demain. Et je ne peux pas m'empêcher de penser au jour où Dahlia, tout comme la mère de So-eui, reviendra sur Terre. Elle fera le voyage inverse depuis le tréfonds de l'espace.

Je teindrai alors mes cheveux en bleu flamboyant et je marcherai tous les jours sur le même chemin pour

었습니다. 마찬가지로 세상과 세상이 아닌 곳 그 어딘가에서 서성이고 있을 그녀가 말입니다.

당신에게 편지를 보내며 당신을 다시 찾아 헤맸습니다. 나는 그 지독한 패배를 인정하는 바입니다. 하지만 감히 수화기를 들 용기는 없었습니다. 나는 지독하게 외로웠으나 이제 와 외로움마저 잃을 용기는 더 없었거든요.

나는 이제 당신이 일러주었던 대로 슬픈 별로 존재하길 마음먹었습니다. 나는 그 당연하고도 고귀한 운명을 받아들일 겁니다. 내 슬픔은 그녀가 내 삶에 꽃을 피웠다는 증거가 될 것입니다.

사람들은 나를 통해 달리아를 만나게 될 겁니다. 그들이 이런 나의 별난 존재를 이해하지 못한대도 어쩔 수 없습니다. 세상에 나처럼 나 자신을 지독하게 이해해보려 한 사람도 또 없을 텐데, 이제 와 누구의 이해가 더 필요하단 말입니까?

빈센트, 나는 당신의 전화를 받지 않을 생각입니다. 아마 다시금 거대한 상실감에 휩쓸린 채 한참을 이리저리 떠다니게 되겠지만, 마찬가지로 그 정도의 고통도 없이 내가 한때 당신을 만들어내기까지 하며 이 세상에 한 톨만큼으로라도 계속해서 존재

que demain ressemble à hier. Tous les êtres vivants sont destinés à être un jour séparés par la mort et nous vivons tous dans l'attente de mourir. Il est improbable qu'un tel voyage ait un sens.

Lorsqu'arrive l'heure du grand départ, tout le monde disparaît à tour de rôle. Jusqu'à ce que mon tour arrive, je ne vois rien d'autre à faire que de me remplir l'estomac de spaghettis avec ou sans sardine et d'essayer de me réveiller d'un rêve sans attache, sans autre choix que d'invoquer le désir d'une mort que je n'ai jamais connue.

N.

하길 간절히 소망했던 사실을 어떻게 똑바로 바라볼 수 있겠습니까?

나는 아무래도 창을 닫고, 철길과 강을 지나 내일로 가야만 할 것 같습니다. 소의의 어머니처럼 달리아 역시 이곳을 향해 부지런히 걸어오고 있을지도 모른다는 생각을 떨칠 수가 없습니다. 더 깊은 우주랄지 뭐 그런 곳으로부터 말이죠.

나는 그저 눈에 띄는 파란 머리를 하고, 매일 같은 길을 걸어 어제의 내일로 가려고 합니다. 살아있는 모든 것은 결국 죽음으로 덧없이 흩어지게 되어 있고, 우리 모두 결국엔 죽기 위해 살아가는 것이니 말입니다. 그런 여정에 의미가 있을 리 만무하겠지요.

약속된 시간이 오면 차례로 사라져버릴 수 있을 것입니다. 그 시간까지는 스파게티에 정어리든 뭐든 넣어 한 그릇을 뚝딱 먹어 치우고, 정처 없는 꿈을 꾸다 깨어나길, 그리고 겪은 적 없는 죽음을 그리워하길 반복하는 수밖에는 없을 것입니다.

N.

Vincent.

Cela fait une semaine que je n'entends plus le téléphone sonner.

Je suis de retour dans la pension depuis très tôt ce matin. La chambre était en désordre avec des poils de chat partout, il n'y avait toujours rien à manger dans le réfrigérateur. Je n'ai pas vu les baskets de So-eui, elle est probablement partie au travail.

Je me souviens de la première fois que je vous ai rencontré dans les bois.

Il faisait froid à cette époque et pour me réchauffer, je me réfugiais dans une baraque abandonnée. Un jour, alors que j'allais entrer dans le refuge, vous avez ouvert la porte et vous vous êtes avancé dans la cour, ça m'a fichu une sacrée trouille. Vous m'avez ensuite visé avec votre fusil de chasse, qui n'était pas chargé au demeurant, puis vous l'avez déposé au sol avant de vous adresser à moi : "Trop maigrichon, ce sanglier". On aurait dit que vous vouliez être sarcastique.

Votre tête me faisait vraiment pitié et il y avait ce ton faussement bourru que vous preniez pour essayer

빈센트.

전화가 멈춘 지 일주일이 되었어요.

오늘 새벽 하숙집에 돌아왔습니다. 방은 고양이 털로 엉망이었고 냉장고에는 여전히 쓸 만한 게 없더군요. 운동화가 보이지 않는 걸 보아 소의는 일을 나간 것 같네요.

당신을 숲에서 처음 만났던 때가 생각납니다.

날이 차가워지며 오래도록 비어있던 오두막에 불을 피우기 위해 종종 숨어들곤 했는데, 어느 날 당신이 예고도 없이 문을 벌컥 열고 마당으로 나오는 바람에 반쯤 자지러졌더랬죠. 당신은 나를 향해 겨누던 빈 사냥총을 내려놓고는 "멧돼지치고는 비쩍 말랐군." 뭐 그런 식으로 어설프게 비아냥댔던 것 같습니다.

그때 당신의 몰골은 너무도 허름해서 툴툴거리는 말투에도 불구하고 조금도 위협적으로 보이지 않았습니다. 오히려 당신이 얼마나 오랫동안 나를 기다리고 있었는지가 느껴져 마음이 저릴 뿐이었

de m'impressionner. En fait, j'ai plutôt eu mal au cœur de voir que vous m'aviez attendu depuis si longtemps.

La réserve était encore vide il y a quelques jours et voilà que tout était rempli de bois de feu, de boîtes de conserve, d'alcool, le chalet était chauffé. Vous êtes retourné à l'intérieur sans rien dire laissant derrière vous la porte grande ouverte.

J'espérais que vous alliez me cuisiner un de vos lapins que vous aviez chassés le matin, mais au lieu de cela j'ai eu droit à des vulgaires boulettes de viande de supermarché et une boîte de haricots, c'était immangeable.

Depuis cette rencontre, combien d'étoiles avons-nous comptées ensemble ? Combien de moments de complicité et de tendresse avons-nous partagés ? J'étais moi, vous étiez vous, Dahlia était Dahlia, et nous brillions tous chacun dans sa constellation.

Vincent, je sais que je ne retrouverai pas un ami avec un cœur comme le vôtre. Aucun ciel de nuit ne sera aussi lumineux que celui que nous avons vu ensemble, aucune forêt ne sera aussi accueillante que celle où je vous ai rencontré.

Les premiers nuages du matin passent juste au-des-

습니다.

며칠 전만 해도 비어있던 오두막의 창고는 장작과 통조림 그리고 술로 가득 채워지고, 집안은 따뜻하게 데워져 있었습니다. 당신은 들어오란 말도 없이 문을 활짝 열어놓은 채 다시 오두막 안으로 사라져 버렸더랬죠.

어린 불청객을 맞이하기 위해 아침에 사냥한 싱싱한 토끼라도 한 마리 꺼내와 구워줄 줄 알았건만 당신이 내놓은 것은 불어 터진 인스턴트 미트볼과 강낭콩 통조림뿐으로, 그렇게 맛없는 음식은 지금까지도 먹어본 적이 없습니다.

그 뒤로 우리는 얼마나 많은 별을 함께 보았던가요. 그곳에는 얼마나 많은 동정과 이해와 사랑이 있었던가요. 나는 나로, 당신은 당신으로, 달리아는 달리아로, 우리 모두 제자리에서 부족함 없이 빛나고 있었는데 말이죠.

빈센트, 다시는 그 어떤 곳에서도 당신만 한 마음을 찾을 수 없을 겁니다. 어떤 밤하늘도 당신과 보던 밤하늘처럼 찬란하지 않을 것이고, 어떤 숲도 당신이 살던 숲만큼 포근하지 않을 것이란 말입니다.

sus de ma tête. La brise est douce et le soleil rafraîchit l'air, je suis venu d'hier pour vous dire au revoir, vous me manquerez toujours. En guise d'adieu, je vais tremper une dernière fois mon manque de vous dans la rivière de cette aube et le faire flotter sur le premier nuage immaculé qui poindra dans la journée.

J'ai bien parlé de la vie, n'est-ce pas ?

N.

때마침 아침의 첫 구름이 머리 위를 지나는 중입니다. 바람은 부드럽고 볕은 시원한 시각으로, 나는 어제에서 왔고 당신은 어김없이 그리운 존재. 이만 새벽 강에 그리움을 헹구어 날의 가장 깨끗한 구름에 띄워 보내겠습니다.

부디 사랑이라 믿어주면 좋겠습니다.

N.

Un autre ailleurs
(『더 깊은 우주에서』 한불대역본)

2021년 11월 11일 초판 1쇄 발행

지은이   안비
옮긴이   Vinciane MACKE, 서방원
펴낸곳   리앙
디자인   서주성
출판등록   2020/06/10 제2020-000008호
전자우편   rienbooks@gmail.com

ISBN 979-11-971429-1-8 03810